위병의 진단과 중의약 치료도보

胃病의 診斷과
中醫藥 治療圖譜

姚保泰 · 郭之平 · 吕 霞 지음
류봉하 옮김

군자출판사

胃病의 診斷과 中醫藥 治療圖譜

첫째판 1쇄 인쇄 | 2006년 8월 1일
첫째판 1쇄 발행 | 2006년 8월 10일

지 은 이 姚保泰, 郭之平, 呂霞
옮 긴 이 류봉하
발 행 인 장주연
표지·편집 이지선
발 행 처 군자출판사
등 록 제 4-139호(1991. 6. 24)

본 사 (110-717) 서울특별시 종로구 인의동 112-1 동원회관 BD 3층
Tel. (02) 762-9194/5 Fax. (02) 764-0209
대구지점 Tel. (053) 428-2748 Fax. (053) 428-2749
광주지점 Tel. (062) 228-0252 Fax. (062) 228-0251
부산지점 Tel. (051) 893-8989 Fax. (051) 893-8986

www.koonja.co.kr

* 파본은 교환하여 드립니다.
* 검인은 저자와의 합의 하에 생략합니다.

ISBN 89-7089-775-5

정가 25,000원

主　编　姚保泰　郭之平　吕　霞

副主编　王明三　刘冬梅　陈宪海　吴玉辉
史玉香　王延平　李　颖

编　者　（按姓氏笔画排序）
于　征　于丽红　王　博　王惠娟
王　磊　孔少明　吴　敏　吴华清
李永华　林　燕　林秀萍　茹瑞先
高燕鲁　窦学俊

저 | 자 | 서 | 문

胃病은 사람들이 가장 흔히 접하는 질병중의 하나이다. 환자들 삶의 질에 많은 영향을 주며 심한 경우는 사람의 생명을 위협할 수도 있다. 그러므로 위병의 진단과 치료의 수준을 높이는 것이 매우 중요하다. 中醫藥學은 수천년동안 위병에 대한 예방과 치료에 많은 귀중한 경험을 쌓아 놓았으며 그 경험을 바탕으로 임상에서 정확히 응용하면 매우 중요한 임상적 가치가 될 것이다.

현대의학의 빠른 발전 중에 특히 위내시경의 광범위한 응용으로 위병의 정확한 진단에 많은 도움을 받게 되었다. 위내시경진단기술과 중의약학적 치료경험의 결합을 통해 위병의 진단과 치료를 圖譜 형식으로 출판된 의학책은 국내외에서 아직 없었다.

이 책에서는 중, 서의학의 이론으로 위의 解部 生理 病理 및 中醫舌診과 胃病의 관계를 우선 논술하였으며, 胃病의 常用治法, 方藥 鍼灸 推拿 등에 의한 治療원칙을 간결하게 기술하였다. 그 다음에는 소화기계통에서 흔히 접하는 약 10여종 위병들의 主要症狀 舌像特徵 胃粘膜像 中醫辨證 中醫治法 藥物 鍼灸 및 推拿치료의 구체적인 요법을 상세히 소개하였다. 이 책에서는 총 160부의 칼라사진이 포함되어 있으며 대상 환자는 설상과 위점막상을 동시에 촬영하였다. 즉 동일 대상 환자의 설상을 촬영하고 바로 위내시경으로 위점막을 촬영하는 것이다. 그리하여 동일병에 설상 및 그에 해당하는 위점막상 중의치법 약물, 침구 및 추나요법을 순서대로 객관적으로 기술하였다.

이 책의 출판은 저자가 30여년동안 위병에 대한 연구결과이며 많은 박사 석사들이 참석한 공동 노력의 결과이다. 본 책이 의과대학생 임상의사 및 중의애호가들에게 도움이 되기를 바라며, 의학지식의 한계로 책 내용 중 부족한 점이 많으니 중서의 동문과 모든 독자 여러분들의 비판과 지적을 바라는 바이다.

2005년 3월 16일

姚 保 泰

역 | 자 | 서 | 문

韓醫學에서는 胃를 後天之本 氣血生化之源이라고 하여, 건강을 유지하고 질병을 막아 주는 가장 근본이 되는 臟器로 여기고 있다.

胃病은 가장 쉽게, 가장 흔히 접할 수 있는 질병으로, 특히 우리 민족은 예부터 음식의 질과 양으로 인하여 위장병으로 많은 고통을 받아 왔다. 이로 인하여 위장병에 대한 많은 임상 경험이 축적된 다양한 치료법이 개발되어 왔다.

현재에도 불규칙한 식이습관, 다양한 기호식품, 자극성 음식, 인스턴트 식품, 음식의 서구화 및 과다한 정신적 스트레스 등으로 인하여 여러 질환 중에서 위장질환에 이환되어 의료기관을 찾는 환자가 가장 많은 실정이므로 정확한 진단과 양질의 치료가 요구된다.

몇 년 전 역자는 위장질환의 연구를 위하여 山東中醫藥大學 附屬病院에 한 달간 연구교수로 있는 동안 姚保泰 교수님를 만나게 되었고, 姚 교수님의 저서인 '中醫舌像與胃鏡像對照圖譜'를 접하게 되었다. 姚 교수님은 西洋醫師임에도 불구하고 中醫學大學病院에 근무하면서 胃病의 진단은 위내시경검사로 하고, 치료는 중의학적으로 하였다. 한국의 이원화된 의료제도 하에서는 이러한 진단과 치료방법을 찾아보기 어려운 상황이므로, 역자가 궁금하여 姚 교수님께 "西洋醫師가 中醫藥病院에서 洋診後 왜 中醫學的 치료를 하느냐"고 여쭈었더니, "본인은 西洋醫師이지만 위내시경을 통하여 많은 임상 경험이 축척된 中醫學理論에 따른 中醫學治療를 연구 개발하기 위하여 이 中醫藥病院에 와서 약 30여 년간 진료하고 있다"는 대답을 듣고 매우 놀라웠고 감탄스러웠다.

姚 교수님의 최근 저서이고 胃內視鏡診斷과 中醫學的 治療의 결합을 통해 위병의 진단과 치료를 도보형식으로 출판된 중국 최초의 의학서적인 '胃病診斷與中醫治療圖譜'를 번역하여 한국에 소개하는 것이 매우 뜻이 있고 한의학 발전에도 기여된다고 생각되어 번역을 하게 되었다.

이 책은 흔히 접하는 약 10여종의 胃 十二指腸疾患을 서양의학 진단기기인 내시경검사를 시행하여, 질환별로 구분하고 질환에 따른 증후로 나눈 후, 각 증후별 症

狀 舌診 中醫治法 治療藥物 鍼灸治療 및 推拿療法을 연계하여 집필한 서적으로, 중국에서도 위내시경진단 기술과 중의학적 치료경험의 결합을 통해 胃病의 진단과 치료를 도보형식으로 출판된 의학서적은 이 책이 처음이다. 더구나 의료제도의 이원화가 고착되어 있는 한국에서는 이런 종류의 서적이 아직 소개된 바가 없다.

이 책을 한국에 소개함으로써 胃病의 진단과 치료에 많은 도움을 줄 뿐만 아니라 소화기계통의 학문 발전과 동양의학의 발전에도 보탬이 될 것으로 사료되며, 이 책을 통해 소화기계통을 전공한 한의사를 비롯해 많은 한의사들뿐만 아니라 한의학에 관심 있는 의과대 학생과 임상 의사들에게도 많은 도움이 되기를 바란다.

끝으로 번역을 허락해 주신 姚 교수님께 진심으로 감사드리며, 번역을 도와준 신봉암, 이선령 의국원과 군자출판사 장주연 사장님께도 감사드린다.

2006년 7월
류 봉 하

목 | 차

1. 胃의 形態, 位置 및 解剖 1

2. 胃의 生理機能과 病理 5

3. 中醫舌診과 胃病 21

4. 胃病의 中醫治療法과 方藥 23

5. 胃病의 針灸와 推拿治療 30

6. 正常舌과 胃粘膜像 36

7. 逆流性 食道炎 40

습열온결(濕熱蘊結)....40

8. 慢性 淺表性 胃炎 43

간위불화(肝胃不和)....43
습탁체위(濕濁滯胃)....46
습열중조(濕熱中阻)....49
간위울열(肝胃鬱熱)....52
비위허한(脾胃虛寒)....55
한열호결(寒熱互結)....58
어혈조락(瘀血阻絡)....61

9. 膽汁 逆流性 胃炎 64

담위불화(膽胃不和)....64
습탁정체(濕濁停滯)....67
습열중조(濕熱中阻)....70

10. 慢性 糜爛性 胃炎 73

비위허한(脾胃虛寒)....73
간울비허(肝鬱脾虛)....76
기체어조(氣滯瘀阻)....79
습열온결(濕熱蘊結)....82
위화옹성(胃火壅盛)....85

11. 慢性 萎縮性 胃炎 88
간울기체(肝鬱氣滯)....88
담습내조(痰濕內阻)....91
간위울열(肝胃鬱熱)....94
습열내온(濕熱內蘊)....97
담열협어(痰熱挾瘀)....101
한열호결(寒熱互結)....104
어혈조락(瘀血阻絡)....107
비위허약(脾胃虛弱)....110

12. 胃粘膜 脫垂 113
습탁내조(濕濁內阻)....113

13. 胃下垂 116
중기휴허(中氣虧虛)....116

14. 胃息肉 120
기허어조(氣虛瘀阻)....120
담탁협어(痰濁挾瘀)....123

15. 胃潰瘍 126
담탁체위(痰濁滯胃)....126
습열온결(濕熱蘊結)....130
비위허약(脾胃虛弱)....134

16. 胃癌 138
담열어조(痰熱瘀阻)....138
독열내온(毒熱內蘊)....141
담탁어조(痰濁瘀阻)....144

17. 十二指腸球炎 147
위화옹성(胃火壅盛)....147

18. 十二指腸球 潰瘍 150
간위울열(肝胃鬱熱)....150
위화치성(胃火熾盛)....153
습열중조(濕熱中阻)....156
담습내정(痰濕內停)....159

1. 胃의 形態, 位置 및 解剖

1) 西洋醫學的인 認識

① 胃의 形態, 位置 및 體表投影

위는 위장관에서 가장 팽대한 부위이며 위로는 식도에 이어졌고, 아래로는 십이지장과 연결되어 음식물을 저장하고 소화하는 역할을 한다. 위의 위치, 크기, 형태는 체위의 변화, 음식물의 포함여부, 그리고 위근육의 수축정도 등에 따라 변화되며 나이, 성별, 체형에 따라 다를 수도 있다. 위가 충만할 때는 팽대하고 비어 있을 때는 관 모양으로 된다.

위의 입구와 출구는 각 하나이며 전후 두 벽(壁)과 상하 두 연(緣)이 있다. 위의 입구는 분문(賁門)이라 하고 식도에 이어졌으며, 출구는 유문(幽門)이라하며 십이지장과 연결되었다. 위의 전벽(前壁)은 위의 위쪽과 앞쪽을 말하고 후벽(後壁)은 아래쪽과 뒤쪽을 말하며 전후 두 벽이 연결된 활모양(弧形)의 부위가 상하 두 연(緣)이다. 상연은 위소만(小彎)이라 하고 우상방향으로 오목하게 들어가면서 유문과 형성된 각도를 각절적(角切迹)이라 하며, 하연은 위대만(大彎)이고 좌하방향으로 볼록하게 나왔다.

위는 분문부(賁門部), 위저부(胃底部), 위체부(胃體部)와 유문부(幽門部) 4부분으로 나눈다. 분문부는 분문에 이어진 작은 부위를 말하며, 분문의 좌측에 위벽이 위쪽으로 팽륭(膨隆)한 부위를 위저부라고 한다. 각절적과 유문사이의 부위를 유문부라고 하며, 이를 또 두 부분으로 나누어서 유문에 바로 붙어 있는 관상(管狀)부위를 유문관(幽門管)이라 하고, 유문관과 각절적 사이의 팽대한 부위를 유문두(幽門竇)라고 한다. 위체부는 위저부와 유문부 사이의 넓은 부위을 말한다.

위가 중간정도 차있을 때 대부분(3/4)은 좌계륵부에 있으며 나머지(1/4)는 상복부에 있다. 분문은 척추좌측 11흉추높이에 고정되어 있고 결체조직(結締組織)으로 후복벽에 연결되어 있으며 격위인대(膈胃韌帶)로 격근(膈肌)과 연결되었다. 유문의 위치는 제1요추 우측의 하연에 해당되지만 때로는 하강하며 제3요추에 수평으로 있을 때도 있다. 위소만과 유문은 소망막(小網膜)과 간위인대(肝胃韌帶)를 통해 간에 연결되었으며 위대만은 대망막(大網膜)에서 시작하는 위결장인대(胃結腸韌帶)를 통하여 횡결장(橫結腸)과 연결되었다. 위저부는 위비인대(胃脾韌帶)를 통하여 비장과 연결된다. 위전벽의 우측은 간좌엽(肝左葉)과 붙어 있고 좌측은 늑궁(肋弓)에 연결되었으며 간전연(肝前緣)과 좌늑궁 사이에 위전벽의 일부는 복전벽(腹前壁)과 직접 연결되어, 이 부위를 임상에서 위장의 촉진부위로 많이 사용되고 있다. 위후벽은 횡격막 좌측신장 췌장 비장 결장 등과 연결되었다.

② 胃壁의 구조

위벽은 점막 점막하층 근층 및 장막층 등 4층으로 구성되었다. 위점막은 비교적 두껍고 생체에서는 연한 붉은 색이다. 위가 비어있을 때 위점막은 대부분 주름형태로 존재하고 있으며 위소만부위의 주름은 가로로 되어 있고 위가 차있는 상태에서는 주름이 줄어들거나 소실된다. 위점막의 표면에는 교착된 구(溝)가 많이 있어서 위점막을 많은 구역으로 나누고 구역마다 작은 구멍이 있는데 이를 위소요(胃小凹)라고 하며 이 곳이 위선(胃腺)이 개구(開口)하는 부위이다. 유문내에서는 위점막의 주름이 환상(環狀)으로 형성되었으며 유문판(幽門瓣)이라고 한다.

위의 근층은 매우 발달되어 3층 평활근으로 구성되었다. 외층은 종행(縱行)으로 되고 있으며 위대만과 위소만에 많이 분포되었다. 중층은 환행(環行)근층이며 거의 위전체를 둘러싸고 있다. 이 층은 유문부에서 두껍게 변해져 유문괄약근으로 형성되어 장내용물이 위로 역류하는 것을 방지하고 위의 배출을 조절하는 역할을 한다. 분문부에서는 환행근층의 변화가 현저하지는 않지만 마찬가지로 괄약근의 역할을 한다. 내층은 사행(斜行)근층이며 주로 위의 전, 후벽에 분포되어 있다. 위근육은 일정한 긴장도를 유지하고 있으며 위의 정상적인 형태와 위치를 유지하는데 중요한 역할을 한다.

③ 胃의 神經 지배

위는 교감신경과 부교감신경에 지배된다. 위의 교감신경은 복강총(腹腔叢)에서 연결되며 복강동맥과 동반되어 내려간다. 부교감신경은 좌우의 미주신경으로 이어지며 좌미주신경은 간지(肝支)와 위전지(胃前支)로 나누었고 위전지는 위소만을 따라 위전벽에 도달하고 우미주신경은 복강지(腹腔支)와 위후지(胃後支)로 나누었으며 위후지는 위소만을 따라 위후벽에 도달한다. 교감신경과 부교감신경은 위벽 내에서 점막하신경총(粘膜下神經叢)과 기간신경총(肌間神經叢)으로 형성되어 위액의 분비와 연동운동을 조절한다.

2) 中醫學的 認識

위의 형태 크기와 해부에 대하여 역대 의가들의 많은 記述이 있었다.《靈樞 · 腸胃》에서는 "胃紆曲屈 伸之長二尺六寸 大一尺五寸 徑五寸 大容三斗五升"이라고 했으며,《靈樞 · 平人絕谷》에서는 "胃大一尺五寸 徑五寸 長二尺六寸。橫屈受水穀三斗五升 其中之穀 常留二斗 水一斗五升而滿"라고 하였다. 또《難經 · 四十二難》에서 "胃重二斤二兩 紆曲屈伸 長二尺六寸 大一尺五寸 徑五寸 盛穀二斗 水一斗五升"라고 기술하였다.

胃는 胃脘이라고도 하며 상하 두 개의 口가 있다. 胃의 上口는 食道에 연결되어 있으며 賁門이라고 하고, 胃의 下口는 幽門이라 하며 아래로 小腸과 연결되어 있다. 胃脘은 상중하 세 부분으로 나누었으며, 胃의 상부는 上脘이라고 하고, 賁門이 포함되어 있으며, 胃의 하부는 下脘이라하고 幽門이 포함되어 있고, 上脘과 下脘 사이는 中脘, 즉 胃體부위이다.《難經 · 四十四難》에서는 "胃爲賁門 大倉下口爲幽門"라고 했으며, 王淸任은《医林改錯》에서 위의 형태와 해부에 대하여 더 상세하게 설명하였는데 "咽下胃之一物 在禽名曰嗉 在獸名曰肚 在人名曰胃。古人畵胃圖上口在胃上 名曰賁門；下口在胃下 名曰幽門 言胃上下兩門 不知胃是三門。畵胃竪長 不知胃是橫長 在腹是平鋪臥長。上門賁門向脊 下底向腹 下口幽門亦在胃上 偏右

脅向脊……" 라 하였다.

이상 위에 대한 논술은 위가 음식물을 담을 수 있는 중공(中空)한 기관이라는 것을 고인들이 이미 인식하고 있었으며 현대의학의 해부학에서 위에 대한 인식과 거의 일치된다.

2. 胃의 生理機能과 病理

서양의학에는 위를 운동과 분비하는 기능이 있다고 하였다. 위는 음식물을 받아들여서 잠시 저장하고 소화시키는 기능을 하며, 성인의 위는 보통 1-2L의 음식물을 수납할 수 있다. 음식물이 식도에서 위내로 들어간 후 위벽근육에 의한 기계적 소화와 위액에 의한 화학적 소화작용을 통하여 음식물 중 단백질은 펩신의 촉매에 의하여 일부가 가수분해 된다. 그 다음 위의 내용물은 미즙의 형태로, 점차적으로 소량씩 소장으로 들어가서 소화와 흡수가 진행된다.

1) 胃의 運動과 形式

위벽의 평활근은 종행 환행 사행의 3층으로 나눠졌으며 그중 환행근이 가장 두껍고 수축력이 크다. 특히 위두부(胃竇部)에서는 평활근이 두꺼워 연동이 가장 현저하다.

① 胃運動의 形式

수용성 이완

위가 비워져 있을 때는 긴장성이 높고 용적이 작다. 한 번에 음식이 들어옴으로써 위의 용적은 50*ml*가량에서 1.5L까지 증가할 수 있으나 위내의 압력은 별로 증가되지 않는다. 이것은 위근육이 단순히 피동적으로 연장된 것이 아니라 미주신경에 의한 일종의 반사이다. 음식물이 입으로 들어올 때의 저작 연하작용과 음식물이 인두, 식도에 있는 감지기에 주는 자극 등이 미주신경의 반사를 통하여 위저부와 위체의 근육을 이완하는 것을 수용성 이완이라고 한다. 위는 수용성 이완으로 많은 음식물을 끊임없이 받아들일 수 있다.

긴장성 수축

위가 가득차면 완만하게 지속되는 긴장성 수축이 시작된다. 소화기간동안 긴장성 수축이 점차 증가하여 위강내의 일정한 압력을 유지하므로 음식물과 위액의 혼합에 도움을 주게 되며 미즙이 십이지장으로 이동하는 데도 도움이 된다.

연동

위의 소화성 연동운동은 음식물이 위내로 들어간 후 약 5분 뒤에 시작한다. 위의 연동은 유문 방향으로 향하는 환형수축파(環形收縮波)이고 항상 일정하며 1분간 약 3번 발생된다. 연동은 보통 위의 중상부에서부터 시작되며 약 1분 후에 유문에 도착한다. 연동이 시작될 때의 연동파는 단지 하나의 미약한 수축환(收縮環)이지만 유문 방향으로 이동함에 따라 수축이 점차 강해지며 속도도 빨라지고 유문두에 접근할 때는 유문이 협착된다. 매번 연동때마다 십이지장으로 3~5㎖의 미즙을 배출시키며 미즙으로 변하지 못한 고형성 음식물은 위체부에 되돌아와서 계속 소화된다.

이로써 우리는 소화시에 위저부와 위체의 역할이 유문부의 역할과 다르다는 것을 알 수 있다. 위저부와 위체는 근층이 얇아 경도로 연동운동하지만 주요역할은 음식물을 수용하고 저장하는 것이며, 유문부의 주요역할은 기계적인 소화이므로 미즙을 십이지장으로 배출하는 것이다.

② 胃의 部位別 運動

위근의 전기리듬과 운동기능의 차이에 따라 위를 상부와 하부 두 부분으로 나눈다. 상부는 위저부와 위체부의 상부 1/3이며, 하부는 위체부의 하부 2/3와 유문이 포함된다.

상부의 운동

상부의 운동형태는 두 가지가 있는데 수용성 이완과 긴장성 수축이다. 상부평활근의 수용성 이완은 식도에서 들어오는 음식물을 수납하고 저장한다. 상부의 긴장성 수축의 주된 기능은 위내압을 조절하고 위내의 일정한 압력을 유지시키며 위내용물을 하부로 이동시키고 액체의 분비을 조절한다.

하부의 운동

상부와 비교하면 하부의 연동운동은 뚜렷하며 연동파에 의하여 위 내용물을 유문으로 이동시킨다. 유문강은 매우 협소하므로 매번 연동시에 소량의 액상 미즙이 유문을 통과하여 십이지장으로 배입(排入)되고 고형성 음식물은 체류되며 단지 직경이 0.1~0.5㎜의 음식조각들이 미즙에 현부(懸浮)되어 유문을 통과할 수 있다. 위두(胃竇)에 체류된 고형성 음식물은 위두(胃竇)의 강력한 수축으로 제압(擠壓) 연마(硏磨)하여 위체부로 다시 돌아온다. 이런 추진 연마와 후퇴의 과정은 위하부에서 반복되며 음식물이 분쇄 교반(攪拌)되어 위액과 충분히 혼합된다. 위하부 운동의 생리적 기능을 요약하면 음식물을 혼합, 연마 그리고 고형 음식물을 공제(控制)하여 배출시키는 것이다.

③ 胃의 排空

음식물이 위에서 소장으로 배입(排入)되는 과정을 위의 배공(排空)이라고 한다. 보통 음식물이 위로 들어간 5분 뒤에 십이지장으로 조금씩 배입하게 되는데 음식물에 따라 배공속도가 다르며 일반적으로 유동음식물의 배공은 고형음식물보다 빠르다. 3대 주요 영양소 중에는 당류의 배공이 제일 빠르고 그 다음은 단백질이며 지방질이 제일 느리다. 혼합 음식물이 위에서 완전히 배공하는 데 걸리는 시간은 대체로 4~6시간 소요된다.

위의 배공은 유문 즉 위강(胃腔)과 십이지장간의 압력 차이에 의해서 결정되며 위내압이 십이지장내압보다 크고 그 압력차이로 음식물이 유문을 통과시킬 수 있을 때 배공이 발생된다. 위의 운동은 위내압의 근원을 만들며 위배출의 원동력이기도 하다. 위운동에 자극을 주는 모든 소인은 위의 배공을 가속화할 수 있으며 반

대로 십이지장의 내용물은 장위반사(腸胃反射)를 통하여 위의 운동과 배공을 억제시킨다.

그리고 십이지장 내용물이 위배공을 억제시키는 것은 체액(體液)에 의한 기전으로 일어나는 현상이다. 예를 들면 미즙이 소장점막을 자극하여 여러 종류의 활성물질(세크레틴, 펩스타틴 등)이 방출되면 위의 운동을 억제하고 위배공을 지연시키는 작용을 한다.

④ 胃運動의 調節

위의 운동은 위근육 자체의 전기리듬 신경 그리고 체액 등에 의하여 조절된다.

위의 기본 전기리듬

서파 혹은 기초적 전기 리듬이라고 하며 일종의 자발적인 완만한 리듬성이 발생하여 파급되는데 위의 근위부위 1/3에서 중간부위 1/3정도의 위대만의 종근에서 기원하여 위의 원위부위로 환형으로 확산되는데, 1분 동안에 약 3회 규칙적으로 발생한다. 서파는 근육의 수축을 직접 일으킬 수 없지만 연동의 발생시간, 빈도, 확산의 방향과 속도를 결정한다.

위운동의 신경조절

위의 운동은 신경반사로 통하여 진행되며 중추신경계통과 근간층 신경총에 의해 지배된다. 위를 지배하는 원심신경은 교감신경과 미주신경이다. 교감신경은 위의 운동을 억제하는 역할을 주며 미주신경은 위의 운동에 흥분과 억제하는 두 역할을 모두 갖고 있다. 미주신경의 흥분성 섬유는 위의 평활근을 수축시켜 연동운동을 촉진시키고, 미주신경의 억제성 섬유는 위평활근의 수축을 억제시켜 위벽을 이완시킨다. 위는 정상적으로 미주신경의 흥분에 영향을 받으며 교감신경에 영향을 적게 받는다. 중추신경도 위운동에 많은 영향을 준다.

위운동의 체액조절

위의 운동은 체액조절기능에 의하여 영향을 받는다. 가스트린, 모틸린은 위근의 수축을 촉진시켜 위의 연동운동을 증가시키는 반면 콜레시스토키닌, 판크레오자이민, 글루카곤, 위억제 펩티드, 혈관작용성 장펩티드 그리고 성장억제호르몬유리인자 등은 위의 연동운동을 억제한다.

2) 胃의 分泌機能

위점막은 복잡한 분비기관이며 위액을 분비한다. 위점막에는 내분비세포가 분포되어 있어 호르몬을 생산하고 분비하며 소화관과 소화선의 기능을 조절하는 역할을 한다.

① 胃液의 性質, 成分 및 作用

위액은 무색, 산성(pH0.9~1.5)의 액체이다. 인체가 매일 분비하는 위액의 양은 1.5~2L이며, 주요성분은 염산 펩시노겐 점액 및 내인자이다.

염산

염산은 우리가 흔히 위산이라고 하는데, 산분비선의 벽세포에서 분비된다. 염산은 펩시노겐을 활성화하여 펩신으로 변하게 하며, 펩신이 존재하는 산성환경을 제공한다. 염산은 음식물과 같이 들어온 세균을 소멸하며 소장에 들어가 췌액과 담즙의 분비를 자극하고 그 외에도 산성의 환경을 조성하여 Fe^{++}, Ca^{++} 등 물질이 소장에서 흡수되도록 한다.

펩시노겐

펩시노겐은 산분비선의 주세포에서 분비되며 위산 혹은 활성화된 펩시노겐의 작용하에서 펩신으로 변한다. 이는 위액에서 가장 중요한 소화효소이며 단백질을 가수분해하며 단백질의 초기 소화를 진행한다.

점액

위액중의 점액은 위점막 표면의 상피세포 분문선 유문선 및 산분비선경점액세포(泌酸腺頸粘液細胞)에 의해서 분비된다. 점액에는 많은 고분자 물질이 포함되는데, 예를 들면 단백질, 당단백질 그리고 점액다당류 등이 있으며 그중 당단백질은 점액을 구성하는 주요 성분이다. 점액은 점체성이 있으며, 응고시키는 특성이 있고 위점막 표면에 둘러싸여 점액층을 형성한다. 이는 윤활작용이 있어 위점막이 음식물에 인한 기계적 손상에 대한 보호작용을 한다. 그 외에도 점액은 위점막세포에서 분비된 HCO_3^-과 함께 '점액-중탄산염' 을 구성하여 위강내의 H^+이 점막과 접촉하는 것을 방지하고 위산과 펩신의 침습을 방지하여 위점막을 보호한다.

내인자

내인자는 위선의 벽세포에서 분비되며, 이는 점액단백질의 일종이다. 내인자는 비타민B_{12}와 결합하여 내인자-B_{12}복합물로 형성되어서 회장(回腸)으로 운반되어 회장 상피세포에서 비타민B_{12}의 흡수를 촉진한다. 이 인자가 결핍되면 음식물중의 비타민B_{12}를 흡수하지 못하며 거대적아구성빈혈이 초래된다.

② 胃液分泌의 調節

위액의 분비는 신경과 체액에 의해 조절된다.

위액분비의 신경조절

위액분비의 신경조절은 미주신경을 통하여 조절된다. 미주신경이 흥분되면 말초에서 대량의 아세틸콜린이 분비되어 위선에 작용하여 위액의 분비가 증가된다. 그 외에도 미주신경의 흥분은 위유문선구(胃幽門腺區)의 G세포의 자극을 통하여 가스트린을 분비하여 간접적으로 위액의 분비량을 증가시킨다.

위액분비의 체액조절

미주신경의 흥분, 음식물의 유문점막에 대한 기계적 확장 등은 유문선구의 G세포에 자극을 주어 가스트린을 합성하고 분비시켜 위액의 분비를 증가시킨다. 그러나 유문점막의 과도확장과 유문부의 산화는 가스트린의 분비를 억제시켜 위액의 분비를 감소시킨다. 이러한 것이 바로 되먹임조절에 의해 발생된다. 가스트린은 주로 벽세포에 자극주어 염산을 분비시키지만 주세포에도 작은 자극을 주어 펩시노겐을 분비시킨다. 그외에도 많은 호르몬이 위액분비의 조절에 참여한다. 예를 들면 위장억제 펩티드, 글루카곤, 성장호르몬억제유리인자 등은 모두 정도는 다르지만 위산의 분비를 억제하는 작용이 있다.

비소화기간의 위액분비 조절

위액의 비소화기간의 분비를 기초분비라고도 하며 공복시의 위액 분비를 말한다. 공복시에는 단지 위선에서 작은 양의 중성 혹은 약알칼리성의 액체가 분비되나 음식이 들어오면 바로 산성 위액이 분비된다. 비소화기간 분비는 미주신경의 긴장과 소량의 가스트린의 지속적인 분비와 관련이 있다.

소화기간의 위액분비 조절

소화기간의 위액분비는 일반적으로 음식물의 자극을 받는 부위의 순서에 따라 두기(頭期), 위기(胃期) 그리고 장기(腸期) 등 세 기간으로 나뉜다. 이 세 기간의 일괄적인 기계적 분할과정은 불가능하며 시간적으로 이 세 기간이 거의 동시에 발생하여 모든 신경과 체액에 조절되고 밀접하게 연계되어 상호간의 작용을 강화시킨다.

두기에 위액의 분비는 음식이 입으로 들어옴으로 인해 발생되는데 이는 미주신경의 참여하에 미주-가스트린의 작용으로 실행된다. 이 시기에는 위액의 분비량과 산도는 모두 높으며 펩신의 함량은 아주 높다. 위기는 음식물이 위에 들어간 후 기계적인 확장과 화학적인 자극으로 직접 위선 혹은 G세포에 작용하여 가스트린의 분비에 의해서 간접적으로 위액의 분비가 일어난다. 이 시기에 분비된 위액의 산

도도 높지만 두기에 분비된 위액보다 오히려 소화력은 떨어진다. 장기는 음식물의 소장점막에 대한 기계적 혹은 화학성 자극으로 인해 위액분비를 일으키는데 위액의 분비는 조금 증가되며 소화기간 동안 총 분비량의 10%를 차지한다.

위액분비의 억제에 대한 조절

소화기간에 위액의 분비를 억제하는 중요한 요소들은 염산과 지방이다. 위내에 염산의 농도가 일정한 수치에 있을 때, 즉 유문부 pH가 1.2~1.5 혹은 십이지장 pH가 2.5일 때 모두에서 위액의 분비를 억제할 수 있다. 이는 음성되먹임의 자동조절이므로 위산농도의 조절에 중요한 의미가 있다. 염산이 유문부에서 위액분비를 억제하는 작용은 가스트린의 분비 억제로 인하여 일어난다. 십이지장내에 있는 염산이 장에 자극을 주어 판크레오자이민의 분비를 촉진하여 가스트린으로 인한 위액의 분비를 현저하게 억제시킨다. 지방 및 지방소화산물은 십이지장에서 위산의 분비와 위의 운동을 억제하고 소장내에서 콜레시스토키닌과 위장억제 펩티드를 분비시켜서 역시 위액의 분비를 억제시킨다.

③ 胃의 內分泌細胞 및 機能

위장관은 단순 소화기관뿐만 아니라 인체내의 가장 크고 복잡한 내분비기관이다. 위와 장의 상피와 선체에는 많은 종류의 내분비세포가 분포되었는데 유문부와 십이지장 상단에 더욱 많이 분포되었다. 분비되는 모든 호르몬을 위장호르몬이라고 하며 이는 위장의 분비 운동 소화 및 흡수 등 정상적인 생리기능을 유지하는 중요한 요소이다. 또한 위장호르몬은 위장관자신의 운동과 분비를 조절할 뿐만 아니라 다른 기관의 활동도 조절한다.

내분비세포가 존재한 부위에 따라 내분비세포를 두 가지 종류로 나눌 수 있다. 한 종류는 개방형(開放型)이라 하며 세포의 유리면에 미세한 융모가 있으므로 소화강내의 음식물, 소화액 및 pH의 변화에 대한 자극을 감수한다. 다른 종류는 폐합형(閉合型)이며 세포가 위장관에 노출되지 않고 기타 세포들에 매복되어 국부점막의 신축 변화에 대한 기계적인 자극을 감수한다. 위내의 주요 분비 세포는 다음과 같다.

G세포

가스트린세포는 주로 유문부에 분포되어 있으며 개방형세포에 속한다. 기계적 혹은 화학적인 자극, 신경 그리고 체액의 조절에 의해서 가스트린이 분비된다. 벽세포를 강렬하게 자극하면 염산이 분비되고, 중간 정도로 자극하면 펩신의 분비가 촉진되어 위장과 담낭의 수축이 촉진되고 유문 담도구 및 회맹부의 괄약근이 이완되며 췌장의 분비가 촉진된다.

EC세포

entero-chromaffine cell은 위저선 유문선 및 분문선점막구에 분포되어 있으며 5-HT를 합성하고 분비한다. 5-HT는 혈관과 위장관 평활근에 가장 중요한 작용을 하는데 위장관의 평활근을 흥분시켜 장연동운동을 강하게 하고 혈관을 수축시키는 작용을 하여 위점액의 분비를 자극한다. 5-HT는 내장성(內臟性) 신경전달물질로서 위와 장의 평활근을 조절하는 신경에 영향을 줄 뿐만 아니라 내장신경에도 영향을 주어 위와 장의 혈류를 조절한다.

ECL세포

entero-chromaffine like cell, 위저선에 주로 분포되어 있고 폐합형세포에 속하며 히스타민을 합성하고 분비한다. 히스타민은 벽세포와 주세포의 분비기능에 자극을 주어 평활근에 경련성 수축을 일으키고 혈관(평활근)을 이완시키며 모세혈관의 투과성을 증가시킨다. 그리고 히스타민, 가스트린과 아세틸콜린은 벽세포를 자극하여 위산을 분비시키며 상호간 강하게 효과를 촉진시키는데 그중 히스타민의 작용이 중요하다. 히스타민H_2-수용체길항제는 위산의 분비를 현저하게 억제시키므로 임상에서 고산성궤양의 치료와 예방에 사용한다.

D세포

위에서는 분문선 위저선 그리고 유문선에 분포되고 형태가 췌도의 D세포와 매우 비슷하여 D세포라 불리게 되었다. D세포는 위저부에서는 폐합형에 속하고, 위두부에서는 개방형에 속한다. D세포는 성장호르몬억제인자를 합성하고 분비하여 다종의 펩티드의 분비를 억제하는 효과가 있다는 것이 이미 밝혀졌는데, 예를 들면 성장호르몬, 갑상선호르몬, 락토겐, 가스트린, 세크레틴, 글루카곤, 췌장폴리펩티드, 콜레시스토키닌, 모틸린, 장가스트론, 장글루카곤 등의 분비를 억제할 수 있다. 그 이외에 또 판크레아틴, 위효소와 위산의 분비를 억제하며 위의 배공 등 위장에 여러 종류의 생리적 기능이 있다.

그리고 위저선과 유문선의 깊은 곳에 일종의 내분비세포가 있는데 이 세포는 췌장의 D세포하고 비슷하지만 은반응(銀反應)이 D세포와 달라 D_1세포라고 명명한다. 정상인의 위두부에는 소량의 P세포가 분포되는데 이 두 세포는 기능이 아직 밝혀지지 않았다.

④ 胃粘膜의 屛障作用

위강과 위점막사이에 병장이 존재하는데 이를 위점막병장이라고 한다. 이는 상피정부(頂部)의 세포막과 세포간으로 긴밀하게 연결되어 있다. 정상적으로는 이 병장은 위강중에 있는 H^+이 농도차이에 의해 점막내로 확산되어 점막층을 침습을 저지하여 고농도의 위액으로부터 위점막의 손상을 방지한다. 아스피린 소염진통제 알코올 초산 담즙산 등과 같은 약물 혹은 물질들은 위점막병장을 파괴할 수 있다. 병장이 손상을 받으면 H^+은 신속하게 점막안으로 침습하여 점막부종 출혈 심하면 괴사 궤양 등의 병리과정을 일으킨다. 프로스타글란딘(PG)은 유해물질로 인한 위점막의 손상을 방지하거나 현저하게 감소시키며 이 물질은 위점막상피세포에서 지속적으로 합성되고 분비된다. 그 이외에 성장호르몬억제인자, 위장호르몬도 위점막에 대한 보호작용을 하는데, 이는 위산분비를 억제하고 점액과 HCO_3^-의 분비 그리고 점막세포의 회복을 촉진하며 점막혈류를 개선하는 것과 관련이 있다.

3) 中醫學的 論述

胃는 六腑중의 하나이며 주요 생리적 기능은 水穀을 受納腐熟하는 것이고, 또한 以降爲和, 喜潤而惡燥하는 특성이 있다.

① 胃主受納, 腐熟水穀

受納은 接受 容納의 뜻으로 胃主受納은 위가 음식물을 받아들여서 잠시 저장하는 것을 말한다. 胃主腐熟은 胃가 음식물을 受納한 후 硏磨와 消化작용을 통하여 음식물을 미즙으로 만드는 과정을 말한다.

음식물은 구강(口腔), 식도(食道)를 통과하여 위에 수납되므로 胃를 "太倉" 혹은 "水穀之海"라고 하며, 胃의 생리적 활동과 氣血津液의 化生은 모두 음식물의 滋養성분을 받아들이는 것이므로 胃를 또한 "水穀氣血之海"라고도 한다.《素問 · 刺法論》에서는 "胃爲倉廩之官 五味出焉"라고 했고,《靈樞 · 玉版》에서는 "人之所受氣者 穀也 ; 穀之所注者 胃也 ; 胃者 水穀氣血之海也."라 하였으며,《靈樞 · 五味》에서는 "胃者 五臟六腑之海也 水穀皆入于胃 五臟六腑皆禀氣于胃."라 하였고,《靈樞 · 營衛生會》에서는 "人受氣于穀 穀入于胃"라고 했는데 이는 모두 胃가 受納水穀의 중요한 작용을 한다는 것을 말하는 것이다.

《靈樞 · 五味》에서는 胃의 受納기능이 强健하면 化源이 充足하고 機体가 强壯有力하며, 반대로는 水穀을 半日동안 받아들이지 못하면 氣衰하고, 一日동안 받아들이지 못하면 氣少한다고 하였으며,《靈樞 · 營衛生會》에서는 中焦如漚로 胃가 腐熟水穀의 기능상태를 형상적으로 기술하였다.《難經 · 三十一難》에서는 "中焦者在胃中脘 不上不下 主腐熟水穀."라 하였고,《靈樞 · 邪客》에서는 "五穀入于胃也 其糟粕 津液 宗氣分爲三隧."라 하였으며,《素問 · 經脈別論》에서는 "飮入于胃 遊溢精氣 上輸于脾 脾氣散精 上歸于肺 通調水道 下輸膀胱 水精四布 五經幷行."이라 하였고,《靈樞 · 營衛生會》에서는 "中焦 亦幷胃中 出上焦之后 此所受氣者 泌糟粕 蒸津液 化其精微 上注于肺脈 乃化而爲血 以奉生身 莫貴于此."라고 했다.

이는 모두 胃가 腐熟水穀 供養全身하는 과정을 논술적으로 설명했을 뿐만 아니라 胃의 受納과 腐熟水穀기능은 반드시 脾의 運化기능과 서로 결합하여야 水穀이 精微로 변하고 氣血津液으로 化生하여 供養全身한다고 하였다.

胃主受納, 腐熟의 생리적 기능은 胃氣로 개괄하여 표현된다. 胃氣의 强弱은 全身臟腑機能의 盛衰에 직접 영향을 주며, 인체의 생명활동 및 存亡에 중요한 의미가 있다. 人以胃氣爲本은 胃氣가 充足하면 즉 水穀의 受納腐熟 기능이 정상적이여서 氣血生化之源이 旺盛하므로 元氣充沛하여 機體形神이 모두 充足하지만, 胃氣가 부족하면 納腐기능의 失調로 氣血生化乏源하여 形瘦神疲하게 된다. 임상에서 胃氣의 盛衰는 疾病轉歸를 판단하는 중요한 근거이며 즉 有胃氣則生, 無胃氣則死라고 하였다. 藥物치료에서도 胃氣의 보호를 매우 중시하여 保胃氣를 중요한 치료원칙으로 한다.

② 胃主通降, 以降爲和

通降은 通而和降의 뜻이다. 葉天士는 《臨證指南醫案》에서 "納食主胃……胃宜降則和"라 하였다. 胃는 "水穀之海"로 음식물이 위에 들어와서 위의 腐熟과정을 겪어 반드시 小腸으로 下行한 후 淸濁을 分別하여 淸者 즉 水穀精微는 脾로 運輸되고 肺로 이송되어 全身을 營養하고 濁者 즉 糟粕은 胃의 通降작용을 통하여 大腸으로 내려가서 "傳化糟粕"하여 체외로 배출된다. 그러므로 "胃主通降 以降爲和"라고 한다. 《溫熱經緯》에서는 "蓋胃以通降爲用"이라고 했고, 《醫學入門》에서는 "凡胃中腐熟水穀 其滓穢自胃之下口 傳入于小腸上口……"라고 했으며, 胃의 通降은 受納, 腐熟水穀의 前提이고, 《靈樞 · 平人絶谷》에서는 "胃滿則腸虛", "腸滿則胃虛 更虛更滿 故氣得上下."라고 했다. 胃의 通降은 降濁이며, 降濁은 受納의 前提이다.

胃失通降은 식욕에 영향을 줄 뿐만 아니라 음식물이 제시간에 내려가지 못하여 濁氣가 上部에 남아 口臭 脘腹脹悶 疼痛 및 大便秘結 등 증상이 발생된다. 만약 胃氣失和降하여 胃氣上逆하면 噯氣酸腐 惡心 嘔吐 呃逆 등 증상이 나타난다. 그리하여《素問 · 陰陽應象大論》에서는 "濁氣在上 則生䐜脹."라고 하였다. 그 외에도 胃의 通降기능은 氣機의 調暢에 도움이 되며 脾胃는 氣機升降의 樞紐이며 脾昇胃降, 相輔相成하여 소화기 계통의 생리기능을 수행하며 全身氣機를 調暢한다.

③ 胃病의 病因

중의학 이론에서 胃와 脾는 一腑一臟, 納運互助, 升降相因, 燥濕相濟, 相輔相成, 相互爲用한다. 二者는 모두 後天之本, 倉廩之官으로서 생리적으로 관계가 밀접하여 분리될 수 없으며, 병리적으로도 상호간에 영향을 많이 주어서 주로 脾와 胃는 同病이 되므로 脾와 胃를 분리하여 말할 수는 없다.

《靈樞 · 小針解》에서는 "寒溫不適 飮食不節 而病生于腸胃."라고 했고, 李東垣은《脾胃論》에서 飮食勞倦 喜怒不節이 脾胃病의 주요 원인이라고 했으며 "飮食不節 則胃病 形體勞役則脾病."이라고도 했다. 그러므로 胃病의 원인을 外感六淫, 內傷七情, 飮食勞倦 등으로 요약할 수 있다.

六淫所傷

李東垣은 "腸胃爲市 無物不受 無物不入 若風 寒 暑 濕 燥一氣偏盛 亦能傷脾損胃."라고 하였다. 만약 起居調護가 옳지 못하면 外感寒邪가 口鼻를 통하여 인체에 들어와 胃에 內客한다. 夏暑에는 暑邪를 感受하여 胃를 侵襲하면 暑多夾濕되므로 濕困脾胃한다. 長夏에는 多雨하고 氣候가 潮濕하여 外濕을 쉽게 感受하게 된다. 章虛穀이 말하기를 "濕土之氣 同類相召 故濕熱之邪 始雖外受 終歸脾胃."한다고 하였다. 秋燥之邪는 비록 肺를 쉽게 侵犯하지만 胃에서는 胃가 燥土라서 역시 燥病이 될 수 있으며 肺가 燥邪를 받으면 항상 胃로 전하게 된다.

胃가 六淫에 傷하여 邪氣가 脾胃를 阻滯하면 納化失司 升降失和 經脈氣血無以輸布하여 여러 종류의 병증이 발생된다.

飮食所傷

飮食不節 飢飽失宜 飮食不潔 飮食偏嗜 등은 위병의 중요한 병인이다. 《素問 · 痺論》에서는 "飮食自倍 腸胃乃傷." 한다고 하였는데, 飮食過量 暴飮暴食 食穀不化하여 宿食으로 되어 胃에 停滯하거나 장기적으로 飢飽失宜 혹은 食無定時하면 胃만 상할 뿐만 아니라 脾까지 영향이 미쳐서 脾氣虛衰가 되는데, 즉 李東垣은 所謂 "胃傷脾亦傷"이라고 하였다.

飮食五味偏嗜하면 臟氣偏勝하여 損傷脾胃한다고 하였는데, 예를 들면《素問 · 至眞要大論》에서 "味過于酸 肝氣以津 脾氣乃絶.", "味過于苦 脾氣不濡 胃氣乃厚." 라고 하였다. 辛辣한 음식을 과식하거나, 肥甘醇酒厚味를 편식하거나, 生冷瓜菓를 과식하거나, 차가운 음료수를 과도하게 마시거나, 혹은 약을 잘 못쓰는 경우, 예를 들면 장기적으로 辛熱溫燥한 藥物 혹은 寒涼攻伐之品을 과도하게 사용하면 脾胃를 상하게 한다.

情志內傷

胃病은 七情과 매우 밀접한 관련이 있는데,《脾胃論》에서 "皆先由喜 怒 悲 憂 恐 爲五賊所傷 而後胃氣不行."이라고 하였다. 憂愁思慮過度 즉 《素問》에서는 소위 "思則氣結", "思傷脾"라고 하였다. 情懷不舒 鬱鬱寡歡 情緖緊張 및 肝氣鬱結이면 소위 木鬱土壅이 된다고 하였으며, 忿怒 惱怒太過하여 肝氣過盛 橫逆乘脾犯胃 즉 木旺剋土가 되는데 이 모두가 運化失常 升降失和를 일으킨다. 또는 暴怒하여 肝氣暴張하면 氣逆于上하고, 過度悲傷 驚恐하면 "悲則氣消", "驚則氣亂", "恐則氣下"가 된다.

요약하면 七情內傷으로 위병이 되면 鬱怒憂思가 가장 많이 나타나는데, 情志의 失調는 위병의 潛在한 소인이며 機體의 臟腑氣血기능을 紊亂 또는 低下시켜 飮食勞倦 外感 등 誘因으로 위병을 발생시킨다.

勞逸失度

過勞는 脾胃의 氣를 손상한다. 《素問 · 擧痛論》에서는 勞則氣耗이란 말이 있으며, 李東垣은 《脾胃論》에서 "形體勞役則脾病……脾旣病則其胃不能獨行津液 故也從而病焉."라고 하였다. 머리를 과도하게 사용하여도 氣를 소모하고 脾를 상하게 하고, 過度安逸 즉 久臥傷氣 久坐傷肉하며, 脾胃의 氣를 손상하여 納化기능을 실조하게 한다.

다른 臟腑의 病으로 累及

위병은 다른 臟腑의 病變으로 연루되는 경우도 많다. 肺失宣肅하면 濁氣犯胃하고, 肝失疏泄하면 橫逆犯胃하며, 腎虛氣衰하면 攝納無權하여 胃失和降하고 심하면 濁邪上犯한다. 胃陰은 역시 眞陰(腎陰)의 滋養을 받는데 腎陰虧乏하면 水不濟上하고 腎陽虛衰하면 火不暖土하는데 모두 脾胃의 陰陽虧虛를 초래할 수 있다. 腎水反侮하면 脾不制水하여 痰飮內停于胃하고, 心火亢盛하면 傷胃灼絡한다. 膽病 역시 胃에 미치는데 膽中에 精汁이 부족하면 胃의 腐熟水穀을 도와줄 수 없고, 膽火犯胃하면 胃失和降한다.

④ 胃病의 病機

胃는 水穀之海로서 受納하여 腐熟하고 以降爲和하는 기능을 한다. 이로 인하여 胃病의 病機를 두 방면으로 표현한다. 첫 번째는 水穀의 受納과 腐熟기능의 異常, 두 번째로는 和降의 失調이며 진행되면 胃氣上逆에 이른다.

腐熟異常

腐熟은 胃가 음식물을 漚腐消磨하는 것을 말하며, 음식물은 胃에서 腐熟과정을 거쳐져야만 脾가 비로소 吸收運化하는 기능을 할 수 있다. 정상인은 胃氣의 强弱에 따라 식욕에 차이가 있고, 음식물에 대한 腐熟작용도 서로 다르다. 水穀不腐와 消穀善飢는 모두 腐熟異常의 표현이며 暴飮暴食 胃氣虛弱으로 水穀이 難消되며, 또

한 胃陰의 부족으로 失于濡潤하여 腐熟能力이 감소하고 納少化遲가 된다. 胃에 熱이 있으면 邪熱이 消穀하여 多食善飢하지만 음식물의 영양분은 이용되지 못한다.

胃失通降

胃는 通降을 主하며 以降爲和하는 기능을 한다. 胃氣의 通降기능으로 胃內容物을 腸으로 下行시켜야만 새로운 水穀을 다시 受納할 수 있다. 《素問 · 五臟別論》에서는 "水穀入口則胃實而腸虛; 食下則腸實而胃虛" 라고 하였으며, 胃失通降은 식욕에 영향을 줄 뿐만 아니라 濁氣在上으로 痞滿이 발생된다. 만약에 胃氣通降이 失調하여 胃氣上逆으로 진행되면 噯氣 呃逆 惡心 嘔吐 증상이 나타나고, 심하면 反胃가 발생된다.

3. 中醫舌診과 胃病

舌診은 望舌로 칭하기도 하는데, 舌診은 望診의 중요한 내용 중의 하나이며, 中醫學의 독특한 진단 방법이다. 또한 舌診은 辨證施治에 객관적인 근거로 빠뜨릴 수 없는 중요한 진단방법이다. 그러므로 舌診을 통해서 인체 臟腑의 虛實, 病邪의 深淺, 病性의 寒熱, 病勢의 輕重과 變化를 판단한다.

1) 舌과 胃(脾)의 관계

舌과 臟腑의 관계는 經絡과 經筋의 循行에 의해 연계되어 있으며 장부중에 心과 脾胃와 舌의 관계가 가장 밀접하다. 그 이유는 舌은 心之苗竅이며, 脾의 外候이고, 舌苔는 胃氣가 熏蒸된 것이기 때문이다. "手少陰心經之別系舌本 ; 足太陰脾經連舌本 散舌下 ; 足少陽之筋 入系舌本; 上焦出于胃上口 上至舌 下足陽明……"이라 하였는데, 이는 모두 脾胃가 직접 혹은 간접적으로 經絡과 經筋을 통하여 舌과 연결되며 脾胃가 化生한 氣血은 上榮于舌하게 되는데, 脾胃의 病變이 필연적으로 氣血의 변화에 영향 주어 舌에 반영된 것을 말하는 것이다.

舌質에는 血絡이 가장 풍부하므로 心主血脈과 脾主運化의 기능과 관계있다. 心은 五臟六腑의 大主이므로 全身臟腑의 氣血 기능상태를 主宰하고, 脾胃는 "後天之本", "水穀之海"로서 氣血의 生化之源이며 脾胃健하면 氣血生化가 充足하고 血脈도 역시 充養을 받을 수 있다. 그리하여 心과 脾胃의 기능은 全身臟腑氣血의 기능상태를 반영하며 舌質의 변화는 臟腑의 虛實과 氣血의 盛衰를 반영한다. 脾胃에 病이 오면 氣血이 虧하고 血脈不充하여 드디어 舌에 반영된다.

舌苔는 胃의 生氣를 나타내는 바이다. 章虛穀은 "舌苔由胃中生氣以現 而胃氣由心脾發生 故無病之人 常有薄苔 是胃中之生氣 如地上之微草也 若不毛之地 則土無生氣矣."라고 했으며, 吳坤安은 "舌之有苔 犹地之有苔. 地之苔 濕氣上泛而生 ; 舌

之苔 胃蒸脾濕上潮而生 故曰苔."라고 하여 舌苔의 변화는 胃氣의 盛衰를 반영하는 것이라고 볼 수 있다.

舌의 味覺은 食欲에 영향을 줄 수 있으며 脾主運化와 胃主受納의 기능과 관계가 있다. 脾胃는 後天之本, 氣血生化之源이며 전신 각 부위에 많은 영향을 주므로 舌像은 脾胃의 상태를 반영할 뿐만 아니라 전신의 氣血津液의 盛衰도 반영한다.

2) 舌像과 胃病의 현대적 연구

요즘에 국내외 학자들은 현대의학의 선진기술을 이용하여 舌像과 소화기계 질병의 관계를 깊이 탐구하고 있다. 연구에 의하면 胃酸이 정상적인 사람은 대부분 舌像이 정상적이고 위산이 결핍한 사람은 光滑舌의 비율이 높고 고위산자는 대부분 有苔舌 혹은 裂紋舌로 나타난다고 하였다.

어떤 학자들은 위내시경을 통하여 위점막상과 舌苔, 舌質의 변화와는 명확한 상관성이 있다는 것을 발견하였다. 다수 학자들의 이론에 의하면, 舌像이 정상적이면 上消化道粘膜이 대부분 정상이거나 가벼운 병리상태로 추측할 수 있으며, 萎縮性胃炎의 舌苔는 白 혹은 薄黃이며 津液이 결핍되고, 淺表性 胃炎은 舌質이 정상이며 舌苔는 대부분 黃苔로 보이고, 胃潰瘍은 舌質紅 舌苔黃厚이며, 十二指腸球部의 潰瘍은 舌質淡紅 舌苔薄白이고, 胃癌은 대부분 裂紋舌 또는 膩苔 혹은 花剝苔이고, 慢性胃炎 患者의 黃苔 정도는 胃炎 정도와 비례하며, 즉 위내의 염증이 더욱 중할수록 舌苔가 더욱 黃厚하게 보이며, 병의 정도가 치료 후 호전됨에 따라 舌苔 역시 黃色에서 白色으로 변하고 厚에서 薄으로 변한다고 하였다.

어떤 학자들은 또 舌質의 색택은 위점막의 色과 기본적으로 일치된다는 것을 발견하였다. 그러므로 舌苔 舌質의 변화는 胃의 疾病 진단에 중요한 가치가 있는 것으로 볼 수 있다. 故로 "舌爲胃之鏡", "舌爲外露的胃鏡像"이라고 하였다.

4. 胃病의 中醫治療法과 方藥

胃는 六腑중의 하나로서 以通爲用 以降爲和 傳化物而不藏하며, 陽土에 속하고 喜柔潤한다. 臟과 腑는 脾와 胃로 서로 밀접하게 연계되는데 表裏관계를 이루고, 胃와 腸은 서로 이어져 있고, 脾病과 腸疾患은 胃에 미칠 수 있으므로 胃病의 치료에 脾와 腸을 소홀히 할 수 없어 이른바 "腑病臟治"라고 한다. 또한 肝膽의 疏泄, 腎膀胱의 氣化, 肺大腸의 通調宣肅도 모두 胃의 納腐와 和降에 영향을 미친다. 胃病은 단순한 胃의 병이 아니라 脾胃病, 胃腸病과 그 외에 다른 臟腑의 병이 胃에 영향을 미치므로 그 치료법은 多臟多腑를 고려해야 하며 辨證求因, 審因論治하여야 한다.

1) 胃病實證

① 散寒溫胃法

이 治法은 위병의 寒邪犯胃證 혹은 寒凝氣滯證에 적용하며, 外寒侵襲하여 內客胃腑하거나 過食生冷 過服寒涼하여 冷積于中 寒凝氣滯로 인하여 胃病이 발생된다.

- **症狀** : 胃痛暴作, 惡寒喜暖, 脘腹得溫則痛減, 遇寒則痛增, 口和不渴, 喜熱飮, 納少腹脹, 便溏舌淡苔白, 脈弦緊.
- **方藥** : 良附丸合香蘇散. 高良姜, 香附, 紫蘇葉, 陳皮, 炙甘草.

② 瀉熱淸胃法

이 治法은 胃病의 熱邪灼胃證 혹은 胃火熾盛證에 적용하며, 過食辛熱之品 혹은 평소에 胃熱이 偏盛하는데다가 燥熱이나 暑熱의 邪氣 감수로 인하여 鬱熱內生 胃失和降으로 胃病이 발생한다.

- 症狀 : 胃脘灼熱不適, 病勢急迫, 喜凉惡熱, 口苦口臭, 口舌生瘡, 便乾尿赤, 舌紅苔黃, 脈弦數.
- 方藥 : 大黃黃連瀉心湯. 黃連, 生大黃.

③ 消導瀉胃法

이 治法은 胃病의 宿食停滯證 혹은 食滯鬱熱證에 적용하며, 暴飮暴食 嗜酒無度로 인하여 胃腑가 損傷되어 腐熟水穀을 할 수 없어 食積胃脘 阻滯氣機하여 胃病이 발생한다.

- 症狀 : 傷食胃痛, 厭食, 脘腹脹滿拒按, 噯腐酸臭, 或吐不消化食物, 吐食或矢氣後稍舒, 或大便不爽, 矢氣酸臭, 舌苔厚膩, 脈滑.
- 方藥 : 保和丸. 山楂, 神曲, 萊菔子, 半夏, 茯苓, 陳皮, 連翹.

④ 淸化醒胃法

이 治法은 胃病의 濕熱中阻證에 적용하며, 嗜食肥甘醇酒厚味 혹은 暑濕之邪를 감수하거나 뜨거운 태양아래 오랫동안 涉水作業함으로 인하여 濕熱이 化生되어 阻滯中焦하여 脾胃納運機能에 영향을 주어 濕不能化 熱不能淸하여 濕과 熱이 胃脘에 留滯되어 발생한다.

- 症狀 : 胸脘痞滿, 口苦口粘, 頭身困重, 納呆 嘈雜, 大便粘滯不爽, 舌苔黃膩, 脈滑數.
- 方藥 : 連朴飮合六一散. 黃連, 制厚朴, 石菖蒲, 制半夏, 香豉, 焦山梔, 芦根, 滑石, 甘草.

⑤ 芳化胃濁法

이 治法은 胃病의 濕濁阻胃 혹은 痰濁凝胃證에 적용하며, 濕濁之邪를 감수하거나 潮濕한 곳에 오랫동안 거주하거나 혹은 生冷瓜菓를 恣食함으로 인하여 濕濁之邪가 中焦에 阻滯되어 脾胃納運失職으로 胃病이 발생한다.

- 症狀 : 胃脘脹悶, 嘔吐痰涎, 口粘納呆, 痰涎壅盛, 肢重身倦, 舌苔白厚膩, 脈濡滑.
- 方藥 : 陳平湯. 陳皮, 蒼朮, 厚朴, 茯苓, 半夏, 炙甘草.

⑥ 化痰淸胃法

이 治法은 胃病의 痰熱滯胃證에 적용하며, 過食肥甘油炸之品 혹은 過飮醇酒厚味로 인하여 脾胃가 손상되어 痰濕이 內生하고 久而蘊熱 痰熱阻胃로 胃病이 발생한다.

- 症狀 : 脘痞胸悶, 泛惡慾吐, 嘔吐痰涎, 胃中嘈雜不適, 納呆腹脹, 心緖煩躁, 舌苔厚而滑, 脈弦滑數.
- 方藥 : 黃連溫膽湯. 黃連, 枳實, 竹茹, 陳皮, 半夏, 茯苓, 炙甘草.

⑦ 化痰和胃法

이 治法은 胃病의 痰飮內停證에 적용하며, 飮食不節 思慮過度로 인하여 脾胃가 손상되어 脾失健運 生濕成痰聚飮하여 困留脾胃에 이르게 된다.

- 症狀 : 胃脘痞悶, 胃中有振水音, 嘔吐淸水痰涎, 水入易吐, 口渴不慾飮, 納少或便溏, 舌苔白滑, 脈弦滑.
- 方藥 : 二陳湯合苓桂朮甘湯. 陳皮, 半夏, 茯苓, 桂枝, 白朮, 炙甘草.

⑧ 通降胃氣法

이 治法은 胃病의 胃氣上逆 혹은 腑氣不通證에 적용하며, 肝胃鬱熱 火邪犯胃 혹은 濕濁不化 痰飮中阻로 인하여 腑氣不通하여 胃氣가 不降하고 심하면 或上逆한다.

- 症狀 : 胃痛便秘, 惡心嘔吐, 脘腹脹滿, 不思飮食, 口乾而苦, 躁煩易怒, 舌苔黃厚, 脈弦滑.
- 方藥 : 大承氣湯. 生大黃, 厚朴, 枳實, 芒硝.

⑨ 化瘀通胃法

이 治法은 胃病의 胃絡瘀阻證에 적용하며, 胃病遷延日久 久病入絡으로 인하여 血行不暢 瘀阻胃絡 혹은 血溢脈外 蓄瘀不去하여 血運受阻에 이르게 된다.

- 症狀 : 胃痛如針刺, 固定不移, 入夜尤甚, 脘腹拒按, 或嘔血黑便, 舌質紫暗, 有瘀斑, 瘀点, 脈細澁.
- 方藥 : 失笑散合丹蔘飮. 丹蔘, 蒲黃, 五靈脂, 檀香, 砂仁.

2) 胃病虛證

① 補虛暖胃法

이 治法은 胃病의 脾胃虛寒證 혹은 脾胃陽虛證에 적용하며, 脾胃虛弱으로 인하여 中陽不振 寒自內生 寒凝氣滯로 발병한다.

- 症狀 : 胃脘作痛, 痛勢隱隱, 喜溫喜按, 得食稍減, 納少腹脹便溏, 畏寒肢冷, 舌淡苔白, 脈沉細弱.
- 方藥 : 黃芪建中湯. 黃芪, 桂枝, 芍藥, 炙甘草, 生薑, 大棗, 飴糖.

② 補中益胃法

이 治法은 胃病의 胃氣下陷證에 적용하며, 久病으로 脾胃를 손상한데다가 失于調攝으로 인하여 脾胃氣虛 中氣下陷에 이르게 된다.

- 症狀 : 胃部墜脹, 納少脘腹脹滿, 餐後墜痛加重, 面色晄白, 神疲肢倦, 自汗, 舌淡苔白, 脈細弱.
- 方藥 : 補中益氣湯. 黃芪, 人蔘, 白朮, 當歸, 炙甘草, 升麻, 柴胡, 陳皮.

③ 滋陰養胃法

이 治法은 胃病의 胃陰不足證 혹은 脾胃陰虛證에 적용하며, 胃熱傷津 肝火犯胃

灼陰 혹은 溫熱化燥傷陰으로 인하여 胃津耗傷 陰津不足 胃失濡潤 和降不利에 이르게 된다.

- **症狀** : 胃脘作痛, 隱隱不休, 嘈雜不適, 納呆乾嘔, 口乾舌燥, 大便乾燥, 舌紅少津, 苔少或花剝, 脈細數.
- **方藥** : 益胃湯. 北沙參, 麥門冬, 玉竹, 生地, 氷糖.

3) 寒熱虛實錯雜證

① 辛開苦降法

이 治法은 胃病의 寒熱錯雜證에 적용하며, 寒邪犯胃로 인하여 中焦가 遏阻되어 胃寒作痛하여 발생하거나 寒邪未盡의 상태에서 肝鬱化熱하여 寒熱兼夾錯雜으로 발병한다.

- **症狀** : 胃脘作痛, 脘痞脹滿或嘈雜不適, 胃凉口苦, 喜冷飮, 大便乾燥, 舌淡苔黃, 脈弦滑.

이때 만약 苦寒淸熱의 치법만을 쓰면 胃熱을 제거할 수 없을 뿐만 아니라 中陽이 受損되어 中寒이 더 심해진다. 만약에 溫補만 하면 寒邪의 未散으로 도리어 鬱火가 더 쌓이게 된다. 그러므로 이때의 치료법은 辛開苦降寒熱 幷用이 적당하다. 즉 寒熱幷用하여 陰陽을 調和하고, 辛苦幷進하여 升降을 調節한다.

- **方藥** : 半夏瀉心湯. 黃連, 黃芩, 人參, 乾薑, 半夏, 炙甘草, 大棗.

② 健中理氣法

이 治法은 脾虛氣滯證에 적용하며, 胃病日久하고 久病多虛로 인하여 樞機阻滯 氣機不暢 氣滯不行에 이르게 된다.

- **症狀** : 胃部脹痛, 噯氣則舒, 納少神疲, 便溏, 舌淡苔白, 脈沉細弦.
- **方藥** : 香沙六君子湯. 黨參, 白朮, 茯苓, 陳皮, 半夏, 木香(或香附), 砂仁, 炙甘草.

③ 健脾淸胃法

이 治法은 脾虛胃熱證에 적용하며, 久病 혹은 평소에 脾虛가 있는데다가 過食辛辣煎炸之品 혹은 外感燥熱之邪로 인하여 熱積胃腑가 되어 발병한다.

- 症狀 : 胃脘灼熱隱痛, 納少腹脹便溏, 口苦, 泛酸, 舌淡苔黃, 脈細略數.
- 方藥 : 四君子湯合半夏瀉心湯. 人蔘, 白朮, 茯苓, 炙甘草, 半夏, 黃連, 黃芩, 乾薑, 大棗.

④ 益氣活血法

이 治法은 胃病의 氣虛血瘀證에 적용하며, 胃病日久 久病多虛로 인하여 氣虛無力鼓動血行하여 瘀血停着에 이르게 된다.

- 症狀 : 胃痛固定, 夜間尤甚, 納呆食少, 神疲乏力, 氣短懶言, 舌質淡黯, 苔薄黃, 脈細澁.
- 方藥 : 歸脾湯合丹蔘飮. 人蔘, 茯神, 黃芪, 白朮, 龍眼肉, 丹蔘, 木香, 當歸, 遠志, 酸棗仁, 檀香, 砂仁, 炙甘草.

4) 他臟(腑)及胃의 治法

① 舒肝和胃法

이 治法은 肝氣犯胃證에 적용하며, 抑鬱惱怒 情志不暢으로 인하여 肝氣鬱結 失于疏泄 橫逆犯胃 胃失和降으로 발병한다.

- 症狀 : 胃脘脹痛, 攻竄連脅, 每因情志因素誘發或加重, 噯氣頻作, 善太息, 胸脘痞悶, 舌苔薄白, 脈弦.
- 方藥 : 柴胡疏肝散. 柴胡, 芍藥, 枳殼, 香附, 陳皮, 川芎, 炙甘草.

② 淸肝理胃法

이 治法은 肝胃鬱熱證에 적용하며, 肝鬱日久化火로 肝火犯胃 혹은 평소에 胃熱

偏盛 肝氣犯胃로 인하여 肝胃鬱熱이 되어 발병한다.

- 症狀 : 胃脘灼熱而痛, 痛勢急迫, 煩躁易怒, 泛酸嘈雜, 口乾口苦, 舌紅苔黃, 脈弦或數.
- 方藥 : 化肝煎合左歸丸. 山梔, 丹皮, 白芍, 青皮, 陳皮, 黃連, 川楝子, 吳茱萸.

③ 淸膽和胃法

이 治法은 膽火扰胃證에 적용하며, 膽腑鬱熱로 인하여 膽火犯胃 胃失和降而上逆이 되어 발병한다.

- 症狀 : 胃脘嘈雜不適, 惡心, 嘔吐酸苦水, 每因情志鬱怒而加重, 口乾口苦, 納呆脘脹, 舌苔薄黃或膩, 脈弦滑.
- 方藥 : 溫膽湯合蘇葉黃連湯. 陳皮, 半夏, 茯苓, 枳實, 竹茹, 黃連, 蘇葉, 炙甘草.

5. 胃病의 針灸와 推拿治療

1) 理論的 根據

침구, 추나로 위병을 치료한 이론은 중의경전인《內經》에 처음으로 기재되었다. 예를 들면《靈樞 · 海論》에서는 "胃者水穀之海 其輸上在氣街 下至三里."라고 하여 胃經의 經氣가 輸注한 要穴은 위에는 氣沖穴, 아래에는 三里穴을 가리키는 것이라고 하였다.《靈樞 · 邪氣臟腑病形》에는 "胃病者 腹䐜脹 胃脘當心而痛 上支兩脅 膈咽不通 食飮不下 取之三里也."라 하였고,《靈樞 · 口問》에는 "穀入于胃 胃氣上注于肺 今有故寒氣與新穀氣俱還入胃 新故相亂 眞邪相攻 氣并相逆 複出于胃 故爲噦。補手太陰 瀉足少陰……寒氣客于胃 厥逆從下上散 複出于胃 故爲噫 補足太陰 陽明."이라고 하였다.

《內經》은 비교적 전면적이고 계통적으로 위병의 치료에 대한 침구 추나요법의 機理 治法 選穴을 논술하여 후세 의가들의 연구에 기초이론으로 되고 있으며, 중의학이 수 천 년동안 발전해오면서 역대 의가들의 깊은 노력으로 위병의 치료에 대한 침구와 추나요법의 이론과 임상경험도 계속 발전해가고 있다.

脾胃는 모두 中焦에 속하며 兩者는 膜으로 서로 연계되어 있으며, 足太陰脾經과 足陽明胃經으로 상호 絡屬되고, 表裏관계를 이루고 있고, 胃는 受納 腐熟水穀을 主하고 以降爲順하며, 脾는 運化轉輸을 主하고 以升爲常한다.

음식물은 胃의 受納 腐熟 작용 후에 小腸으로 下傳되며, 그 중에 精微로운 부분은 脾의 運化 작용에 의해서 氣血津液으로 되어 經脈에 따라 전신의 臟腑 經絡 四肢百骸를 營養한다. 이로 因하여 胃를 多氣多血之腑 水穀氣血之海 五臟皆稟氣于胃 脾胃乃後天之本이라고 하였다.

脾胃가 병에 걸리면 상호간에 영향을 주며, 전신의 氣血津液의 운행에 장애를 일으킨다. 따라서 만약에 경맥의 痹阻로 氣血運行不暢하여 脾升胃降의 생리기능에 영향을 주면 위병이 발생하게 되는데, 이때에 침구추나요법은 氣機를 疏通할 수 있으며 調暢氣血하여 위병의 치료에 효과적이다.

현대의학의 연구발표에 의하면, 인체의 한 장기가 손상 혹은 발병하였을 때 이 장기와 멀리 떨어진 부위에서 통증이 발생되는 것을 연관통(牽涉痛)이라고 한다. 그 원인은 병변기관과 통증부위는 동일한 척수의 구심신경이 분포되어 있기 때문이다. 예를 들면 위와 십이지장궤양의 연관통증은 등뒤의 척추양측에서 발생된다. 이때에 연관통증부위에 침치료를 하면 그 해당되는 기관의 기능활동을 조절하여 통증을 치료할 수 있는 것으로 관찰되었다. 이는 背部에 있는 肝兪 膽兪 脾兪 胃兪穴의 치료로 위병의 치료에 만족스런 효과를 얻을 수 있다는 것은 바로 이런 기전에 의해서이다.

근래 국내학자들의 연구발표에 의하면 脾兪 胃兪 膈兪 中脘 章門 足三里 內庭 陰陵泉 三陰交 太白 公孫 天樞 등 脾胃兩經의 腧穴 및 肝膽脾胃大腸의 背兪穴과 募穴의 針灸治療로 가스트린의 분비를 조절하여 만성위축성위염의 저산성 상태를 정상상태로 회복시키는 치료를 할 수 있다고 보고하였다. 어떤 학자들은 中脘 內關 足三里 陰陵泉 등의 혈위에 針灸治療를 하면 유문괄약근의 수축기능을 조절하고, 위의 연동을 증가시켜 위의 배공을 촉진시키므로 담즙역류가 감소되어 담즙역류성위염의 치료에 효과가 있다고 밝힌 바가 있다.

2) 選穴方法

胃病에 대한 침구 추나의 치료는 중의학적 이론의 체계하에 현대의학의 진단법을 결합하고 辨證辨病論治하여 치료방법을 결정하고 選穴을 處方한다. 주로 脾胃兩經의 腧穴을 選取하고 동시에 配穴의 선택도 유의하여야 하며 구체적인 방법은 다음과 같다.

① 前後配穴

이것은 胸腹部와 背腰部의 腧穴를 配伍하여 치료하는 것이다. 廣義의 前後配穴은 胸腹部와 腰背部, 기타 관련있는 經脈 腧穴의 相配를 가리킨다. 예를 들면, 胸腹

部 承滿 上脘 下脘穴과 背部의 背兪 胃倉 등이 配伍이며 偶刺法과 兪募配穴法으로 구분한다.

偶刺法은 胸腹部에 통증부위의 한 穴을 먼저 取하고 다시 背腰部에 상응되는 腧穴을 取하여 침치료하는 것을 말한다. 예를 들면, 위에 통증이 있을 때 복부에서 梁門穴을 取하고 背部의 胃倉穴을 取하여 치료한다. 兪募配穴法은 예를 들면, 胃痛과 腹脹이 있을 때 胃兪와 胃募中脘, 脾兪와 脾募章門, 肝兪와 肝募期門, 大腸兪와 大腸募天樞를 取하는 것이다.

② 表裏配穴

이것은 臟腑 經脈의 表裏관계로 配穴하여 치료하는 방법이다. 예를 들면 足陽明胃經의 질환은 일반적으로 足太陰脾經의 腧穴과 서로 配伍되게 선택하여 사용하는 것이다. 만성 표면성 위염의 肝胃不和證 예를 들면 公孫穴과 足三里穴을 相伍되게 取하면 理氣和胃의 기능이 더 강해진다.

③ 上下配穴

이것은 上肢 혹은 腰部이상 부위와 下肢 혹은 腰部이하의 腧穴을 配伍하여 치료하는 것으로 임상에서 가장 광범위하게 응용되는 配穴방법이다. 예를 들면, 담즙역류성 위염의 濕熱中阻證에 上肢의 曲池 內關과 下肢의 足三里 豊隆 內庭을 相配되게 取하면 淸熱利濕 理氣和胃의 기능이 더 강해진다.

④ 遠近配穴

병소 近部의 경혈 선택과 遠部의 경혈 선택을 결합하여 치료하는 방법이다. 예를 들면, 胃病 治療시 近部의 上脘 中脘 建里 胃兪 등의 경혈과 遠部의 內關 曲池 足三里 太白 公孫 등의 경혈을 相伍되게 取하는 것이다.

⑤ 左右配穴

동일의 경맥 순행은 左右交叉의 관계가 있으므로, 일반적으로 兩側의 같은 혈을 配伍되게 선택하는 방법이다. 예를 들면, 胃病時 兩側의 足三里 豊隆 公孫 胃兪 天樞 梁門 등을 選穴하여 치료한다.

3) 針灸의 常用手法

침구로 위병을 치료하는 手法에서는 補, 瀉와 平補平瀉의 3가지 방법이 있다. 의사는 임상자료를 종합적으로 분석하여 진단과 辨證분석을 통한 치료방법과 手法을 결정하여야 한다. 補法은 補虛에 적용하는데 補中益氣 養陰益胃등과 같은 扶正治法이다. 瀉法은 病邪를 除去하고 病理産物을 消除하는 清熱利濕 活血化瘀 등과 같은 去邪治法이다. 平補平瀉法은 正氣虛와 邪氣實이 不明顯할 때 사용되며 理氣和胃 調理胃腑通降기능 등과 같은 것이다.

瀉法은 환자가 吸氣時 經絡循行의 반대 방향으로 신속히 깊게 進鍼하여 呼氣時 침을 拇指가 食指 앞에 있다가 후방으로 움직이면서 서서히 淺層까지 뽑아냈다가 흡기에 다시 빠르게 심층부위로 刺入하는 방법으로 반복적으로 進行한다. 호기시에 針孔을 크게 약간 흔들면서 서서히 出鍼하며, 出鍼後 침자리를 누르지 않는다.

補法은 환자가 호기시에 침을 經絡循行의 방향에 따라 進鍼하고 淺層까지 刺入하고, 호기시에 針을 拇指가 뒤에 있다가 食指 앞으로 나오면서 서서히 深層으로 刺入하고 흡기시에 신속히 淺層으로 出鍼하면서 반복적으로 操作한다. 흡기시 신속히 出鍼하고 棉棒으로 침자리를 누른다.

平補平瀉法은 침을 일정한 깊이에 刺入하고 得氣한 후 힘을 균일하고 서서히 주어 提挿捻轉한다.

先瀉後補法은 進鍼하여 深層에서 먼저 瀉法을 진행한 후 다시 淺層으로 뽑아서 補法을 시행하는 것이며 이는 먼저 邪氣를 瀉하고 다시 正氣를 扶하므로 閉門留寇를 방지한다.

4) 推拿의 常用手法

추나치료법들은 각각의 특징이 있다. 季肋下에 摩法으로 시술하면 疏利肝膽氣機 和胃止痛 寬胸下氣 消脹除痞의 작용이 있으며, 腹部의 各種 摩法은 理氣和胃 降逆止嘔뿐만 아니라 健脾利濕 祛痰消瘀의 작용이 있다. 腹部의 掌揉法은 溫中健脾 消食化滯 利濕祛痰 理氣和胃 緩急止痛할 수 있고, 腹部의 掌運法은 調理胃腸氣機 行氣化滯 消脹除滿의 작용을 하며, 腹部의 抖動拿法은 行氣活血 溫經散寒 通絡止痛의 功效가 있다. 腹部에 按法을 시술하면 益氣健脾 溫中補虛의 작용이 있으며, 點三脘開四門法을 응용하면 疏理肝膽脾胃氣機 溫中健脾 益氣昇提 通絡止痛의 효능을 볼 수 있다.

點按, 推, 拿의 手法으로 腹部 背部 및 四肢部에 관련있는 경혈에 시술하면 臟腑를 調理할 수 있는 특이한 작용이 있지만 證候에 따라 手法을 선택해야 한다.

5) 針灸와 推拿療法의 結合

침구와 추나를 결합하여 胃病을 치료하는 것은 두 가지 장점이 있다.

첫째는 相輔相成작용으로, 經穴에 자극을 주어 장부경락을 조절할 수 있는 기능이 있으므로 같이 사용하면 相得益彰의 효과를 크게 증가시킨다.

둘째는 互補작용으로, 침은 경혈에 자극이 비교적 강하므로 먼 부위까지 전달되어 장부경락에 대한 조절작용이 더 강하여, 때때로 一針으로 解痙止痛 降逆止嘔의 효과를 보지만, 침자극으로 인한 동통과 득기 후의 시리고 마비감과 부어오르는 감각으로 환자는 때때로 견디기 어려울 수 있다. 추나는 胃病에 氣機를 조절하는 작용이 비교적 좋으므로, 이 방법은 안면복부 배부 사지에 광범위하게 많은 혈과 많은 경맥을 사용하여 시술이 편하고 또한 경락에 주는 자극이 침치료보다 못하지만 추나는 전신 어디서나 시술할 수 있으며 수법이 부드러워 환자가 쉽게 받을 수 있다.

6) 針灸, 推拿療法 및 藥의 結合

침구와 추나요법은 外治法으로 경락과 경혈을 통한 위병에 대한 조절작용이 있고, 中藥湯劑의 복용은 內治法으로서 胃腑에 대한 직접적인 조절작용이 있다. 이 세 치료방법을 결합하여 사용하면 위병의 치료효과를 크게 높일 수 있다.

만성 위축성 위염의 痰熱挾瘀證을 예로 들면, 이 병은 痰熱이 胃脘에 停滯하여 氣機不利 胃腑通降과 受納기능의 失常으로 胃脘痞悶 納呆食少하며 또한 氣滯血瘀로 瘀血이 胃絡에 阻滯되어 隱隱作痛하는 證이다. 치료법은 清熱化痰 祛瘀除痞이며 中藥湯劑 針灸 推拿療法을 동시에 응용하였다.

침구요법으로 中脘 曲池 豊隆 內庭 陰陵泉 膈兪 胃兪穴을 選穴하였다. 表里兩經配穴法으로서 足陽明經와 足太陰經의 경혈위주로, 上下配穴法으로는 腰이상의 中脘 曲池 膈兪 胃兪를, 腰이하의 豊隆 內庭 陰陵泉을 選穴했으며, 胃兪와 胃의 募穴인 中脘의 선택은 兪募配穴法을 적용한 것이다. 方중의 曲池와 內庭은 瀉法을 응용하여 陽明經의 熱邪을 清하게 하고, 中脘 胃兪 豊隆 陰陵泉은 平補平瀉法을 응용하여 理氣和胃 消痞化痰하며, 膈兪를 平補平瀉하여 活血化瘀하였다.

추나요법에서도 以上의 經穴을 주로 選穴하며 腹部의 掌運法과 點按法으로 清熱化痰 祛瘀除痞하였다.

以上의 治療法은 침구, 추나요법 및 약을 결합하여 치료한 것으로 위병에 대한 中醫 치료 특색을 더욱 나타나게 한 것이다.

6. 正常舌과 胃粘膜像

• **正常舌像** : 舌苔薄白, 舌質淡赤, 舌體靈爽(그림 1).

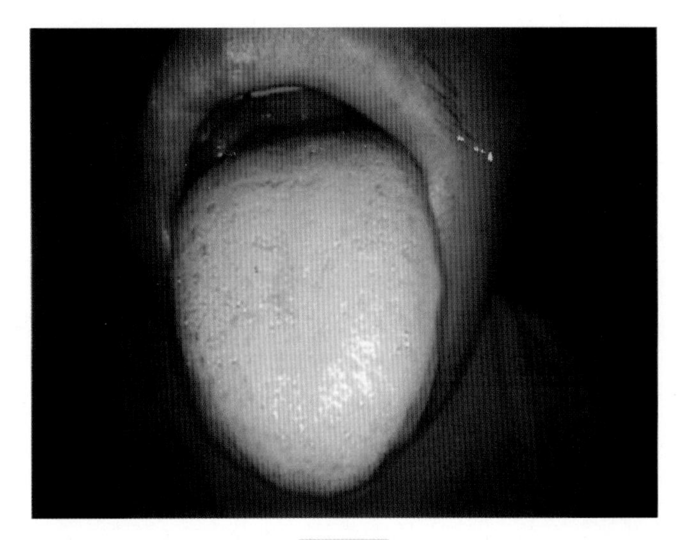

그림 1

• **胃粘膜像** : 위내시경으로 噴門 胃角 幽門 十二指腸으로 구분하여 촬영하였다(그림 2). 분문부는 연한 핑크색인 식도점막과 橘紅色인 위점막이 교차하여 형성된 원형 齒狀線의 특징을 가진 경계부위이다(그림 3a). 일반적으로 치아에서 齒狀線까지의 길이는 38~41㎝이다. 분문을 들어가서 위저부의 대만측에는 粘液池가 보이는데, 이 점액은 맑고 투명한 액체이다. 담즙이 역류되면 황록색으로 변하고, 위출혈이 있을 때는 커피색으로 변하며, 음식물의 찌꺼기가 혼합되었을 때 유문부위가 굳게 막혀있다. 위각은 위소만에 형성된 각도를 말하며 원측은 위두(胃竇)이고 근측은 위체(胃體)이다. 정상적인 위각은 활모양이며 주름이 없고 점막은 광택이 있다(그림 3b).

위내시경이 위두부(胃竇部)로 들어가면 시야의 중간에 원형의 검은색 구멍이 보이는데 이것이 바로 유문이다. 유문이 닫혔을 때는 공동(空洞)이 안 보이지만 그 주위의 점막주름이 환상(環狀)으로 수축하여 방사상(放射狀) 모양이 된다(그림 3c). 유문을 통과하면 십이지장구부점막의 편평하고 넓은 주름이 보이며 표면은 평탄하며 가까이에서 보면 균일한 담홍색의 미세 과립(顆粒)모양이 보인다(그림 4).

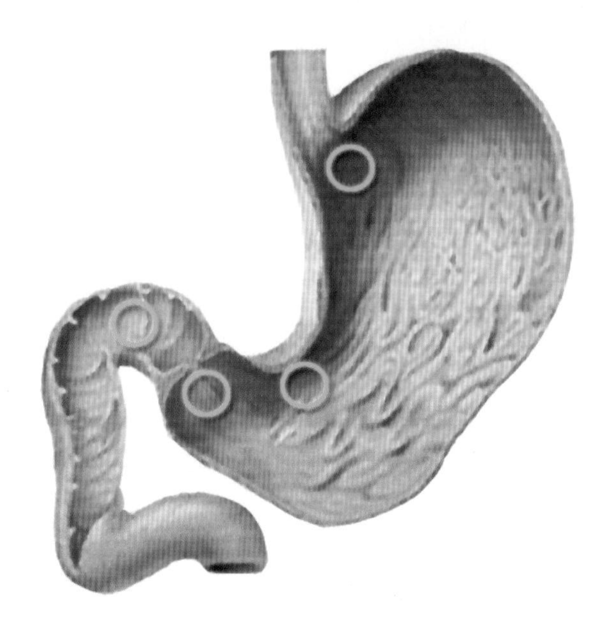

그림 2

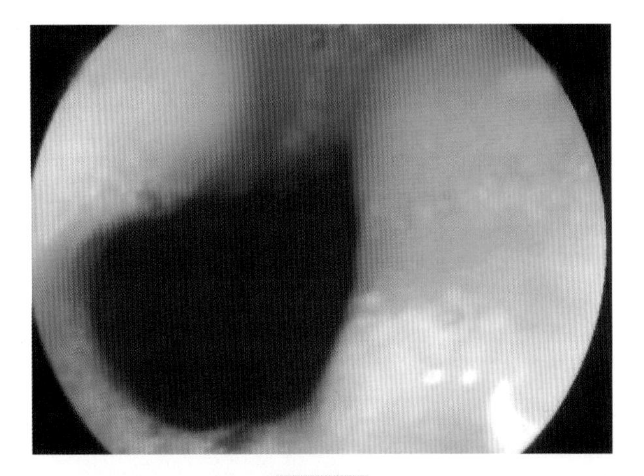

그림 3a

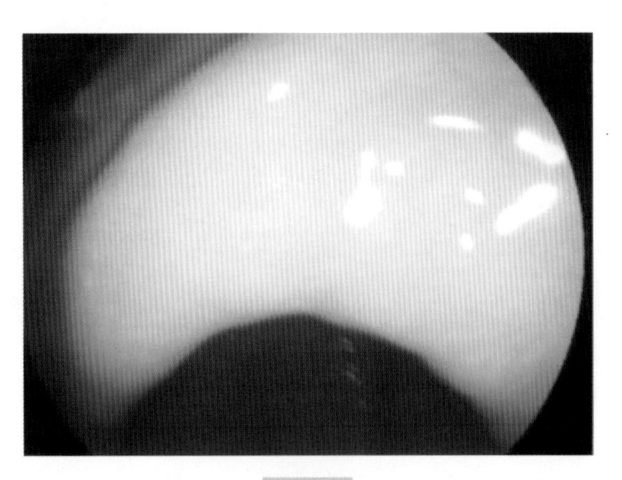

그림 3b

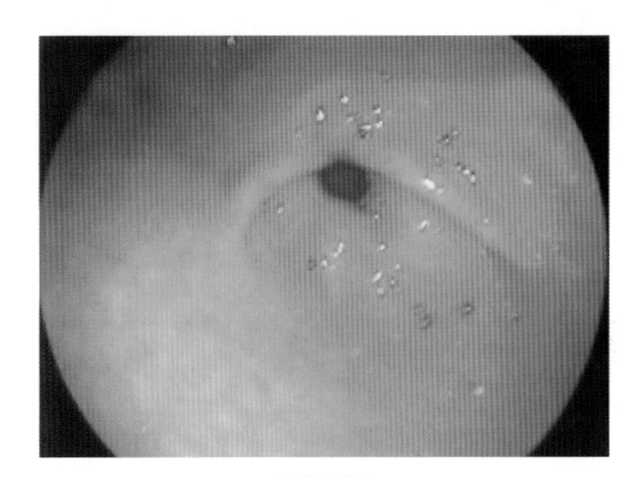

그림 3c

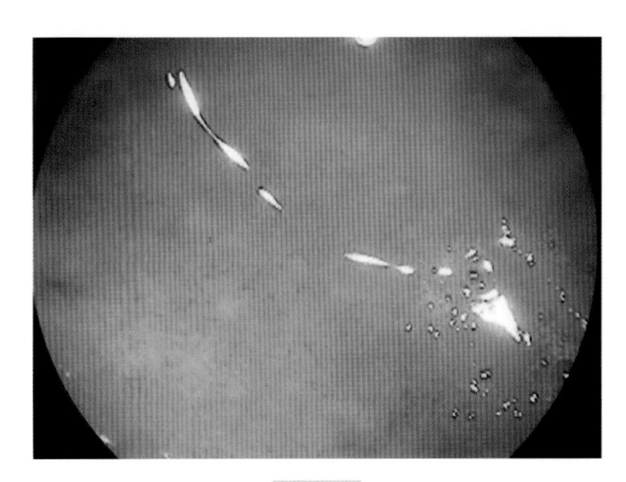

그림 4

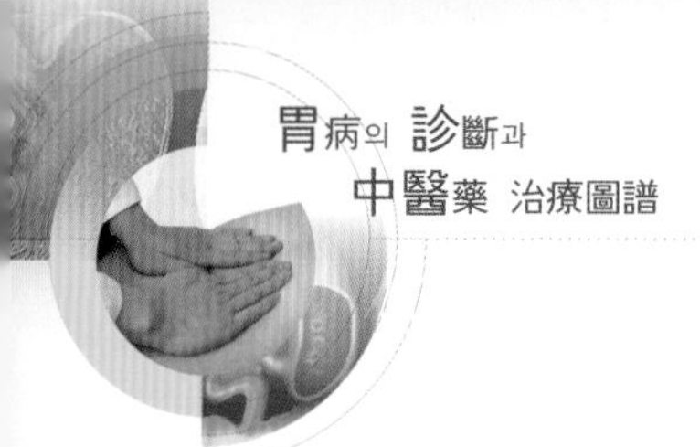

7. 逆流性 食道炎

濕熱蘊結

- **症狀** : 胸腹部燒灼樣疼痛, 餐後明顯, 嘔吐苦水或食物.
- **舌像** : 舌苔黃厚膩, 舌質淡紫(그림 5), 脈細弦數.

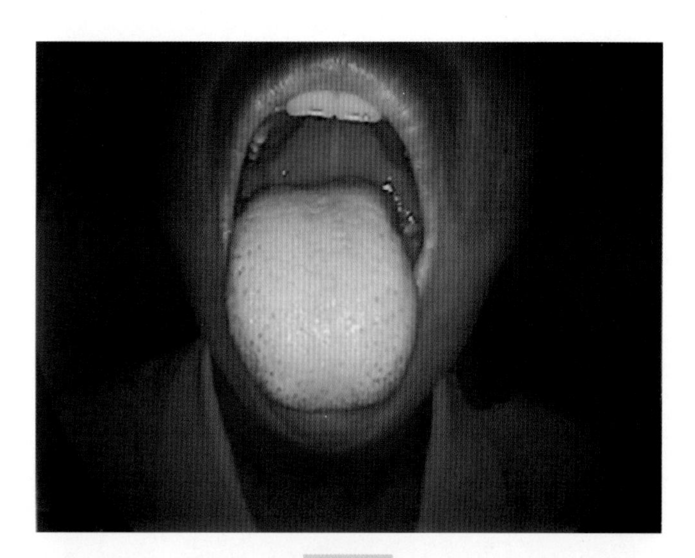

그림 5

- **胃粘膜像** : 식도와 위의 결합부, 위저부의 粘液池, 위체하부 그리고 胃竇部를 촬영하였다(그림 6). 분문구는 이완되고 크게 열려 있으며 치상선이 올라갔고, 위에는 1~2개의 縱行의 충혈반(充血斑)이 보이며 길이는 0.1~0.4㎝이고 표면에는 담황색의 액체로 덮여 있다(그림 7a). 위저부의 점액지는 혼탁한 황록색을 나타낸다(그림 7b). 위체하부의 점막에는 편상(片狀)의 충혈반이 보인다(그림

7c). 유문공은 이완되어 크게 열려 있고, 위두(胃竇)점막에서는 미만성 충혈이 보이며 표면에는 황록색의 액체가 덮여 있다(그림 7d).

- 治法 : 淸熱化濕, 行氣散結.

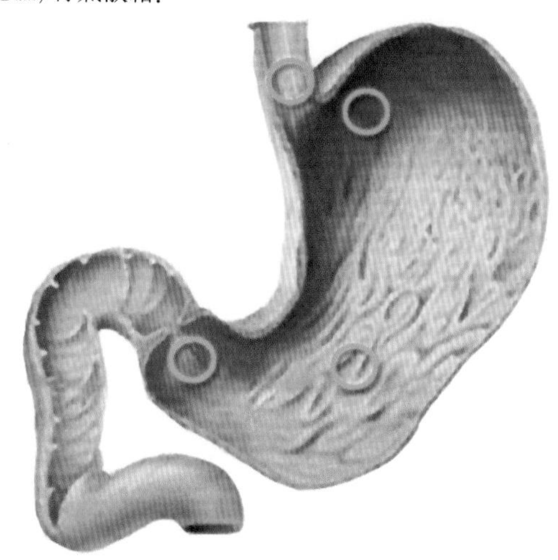

그림 6

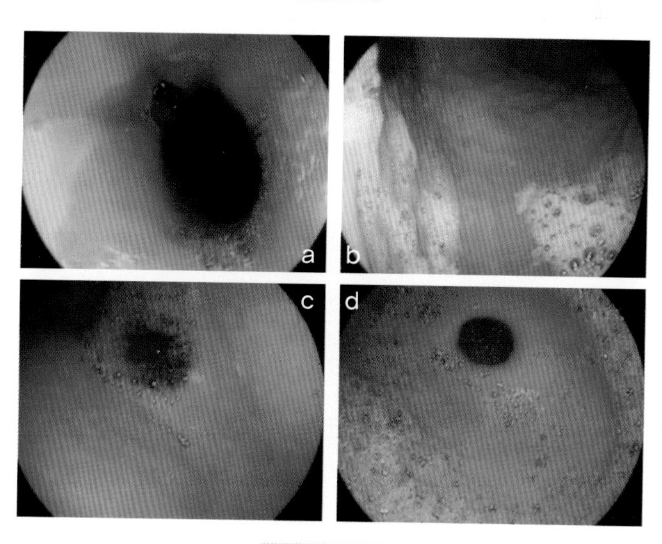

그림 7a–d

• **藥物** : 黃連, 竹茹, 梔子, 淸半夏, 枳實, 厚朴, 木香, 紫蘇梗, 大腹皮, 烏賊骨, 煅瓦楞子.

• **針灸取穴** : 天突, 膻中, 上脘, 合谷, 豐隆, 內庭, 膈兪, 胃兪.

• **施鍼方法** : 行鍼得氣후 合谷, 內庭에서는 瀉法을 응용하고, 天突, 膻中, 上脘, 豐隆, 膈兪, 胃兪에서는 平補平瀉法을 응용한다. 留鍼 30분, 10분마다 1회, 1일 1회 行鍼하고, 치료기간은 약 10일정도이다.

• **推拿取穴** : 天突, 膻中, 上脘, 中庭, 巨闕 , 神闕, 梁門, 天樞.

• **施術方法** : ①點按法 : 天突, 膻中, 中庭, 上脘穴 각혈에 2분씩 시술한다.
②一指禪推揉法 : 任脈의 天突穴에서 上脘穴까지 일직선이 되게 6분간 시술한다.
③腹部直摩法 : 환자는 仰臥位이고 시술자는 환자의 오른쪽에 서 있는다. 어깨를 내리고 팔꿈치는 똑바로 하며 손목은 부드럽게 하고 팔을 앞으로 내밀면서 오른손 손바닥에 힘을 주지 않은 상태로 자연스럽게 인체의 종축인 임맥상의 상복부의 巨闕穴에 대고 神闕까지 摩動하고, 양측 위경의 梁門부터 아래로 곧장 내려오면서 天樞까지 같은 방법으로 각 3분간 摩法을 행한다. 매분마다 20~30번 시술한다. 胃經의 梁門穴을 직접 마찰하는 도면(그림 8).

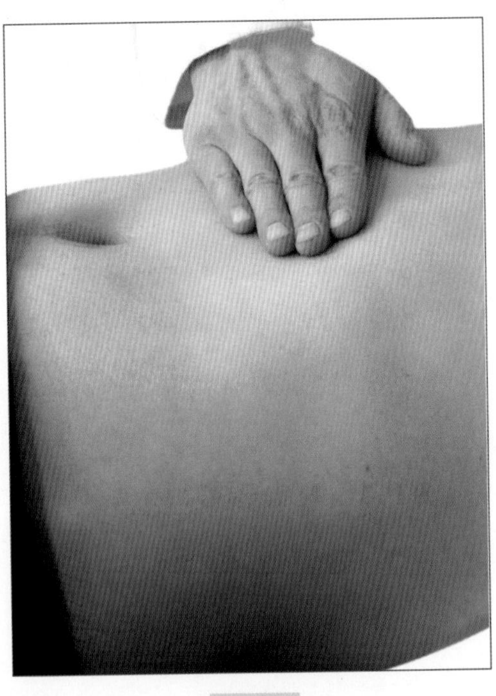

그림 8

8. 慢性 淺表性 胃炎

肝胃不和

- **症狀**：胃脘脹痛, 連及兩脅, 胸悶噯氣, 遇煩惱加重.
- **舌像**：舌苔薄黃, 舌質淡赤(그림 9), 脈弦細.

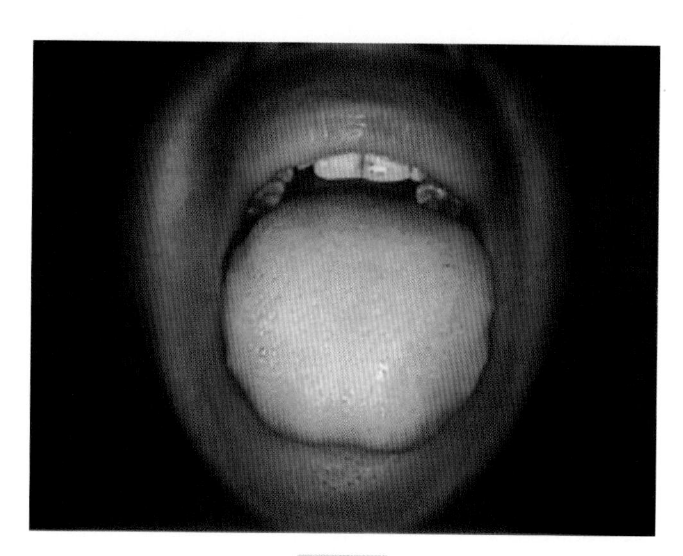

그림 9

- **胃粘膜像**：위내시경이 위체하부에 들어가서 대만측을 촬영하였다(그림 10). 대만측의 점막은 거칠고 光滑하지 못하며 斑點狀의 충혈이 보인다(그림 11).
- **治法**：疏肝和胃, 理氣止痛.
- **藥物**：柴胡, 白芍, 枳殼, 木香, 鬱金, 香附, 佛手, 厚朴, 延胡索.
- **針灸取穴**：中脘, 公孫, 足三里, 太衝.

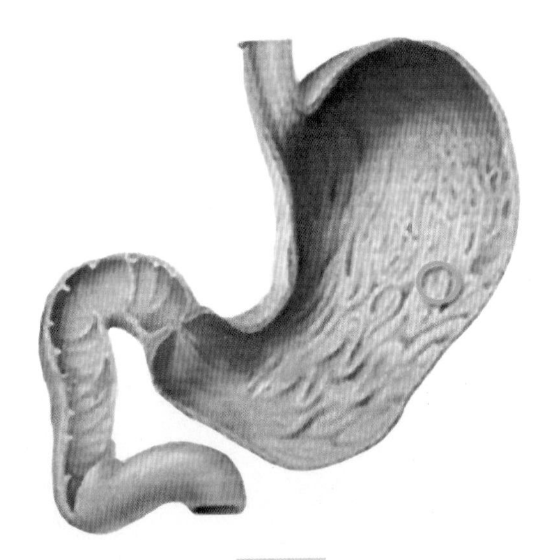

그림 10

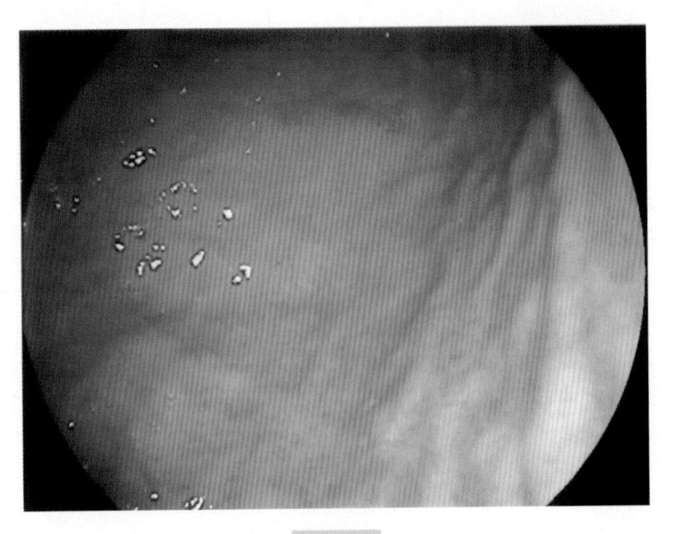

그림 11

- **施鍼方法** : 行鍼得氣후 中脘, 公孫에는 平補平瀉의 先瀉後補法을 응용한다. 足三里에서는 補法을 응용하고, 太衝穴에서는 瀉法을 응용한다(그림 12).
- **推拿取穴** : 針灸取穴과 같음.
- **施術方法** : ①分摩季肋下法 : 환자는 仰臥位이고 시술자는 환자의 오른쪽에 서 있는다. 양쪽 손의 食指, 中指, 無名指와 小指의 指面을 양측 季肋下의 不容, 承滿穴 부근에 대고 肋緣을 따라 내에서 외측 하방으로 腹哀穴을 거쳐 京門穴까지 摩動한다. 매분마다 15~20번 8분동안 지속적으로 시술한다.
②按揉法 : 肝兪, 脾兪, 胃兪, 太衝穴 등 각혈에 2분씩 시술한다.

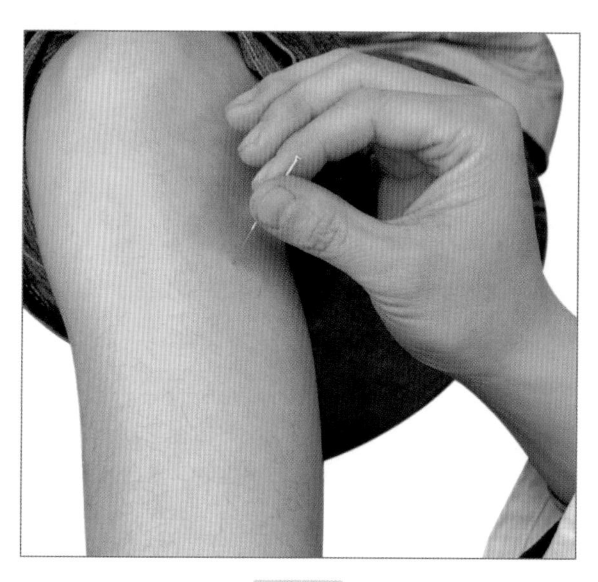

그림 12

濕濁滯胃

- **症狀** : 脘腹脹滿, 不思飮食, 噯氣呑酸, 口淡乏味.
- **舌像** : 舌苔白厚膩, 舌質淡, 舌體胖有齒痕(그림 13), 脈濡緩.

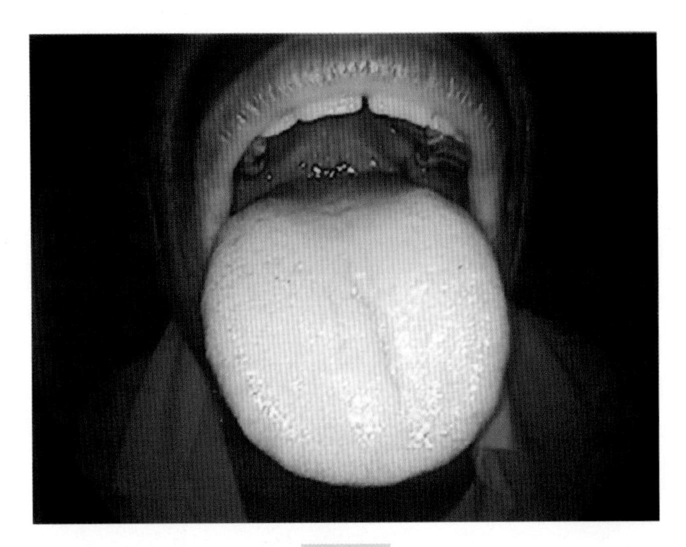

그림 13

- **胃粘膜像** : 위내시경이 위두부에 들어가서 유문과 대만측을 촬영하였다(그림 14). 위두부의 점막은 부종이 명료하며 비교적 많은 부착성 점액반(粘液斑)이 보인다(그림 15).
- **治法** : 燥濕運脾, 行氣和胃.
- **藥物** : 蒼朮, 厚朴, 陳皮, 佛手, 枳殼, 白朮, 薏苡仁, 白豆蔻, 烏賊骨.
- **針灸取穴** : 上脘, 下脘, 章門, 豊隆, 陰陵泉, 公孫.
- **施鍼方法** : 行鍼得氣후 平補平瀉의 先瀉後補法을 응용한다.
- **推拿取穴** : 上脘, 下脘, 章門, 豊隆, 陰陵泉, 公孫, 鳩尾, 關元.

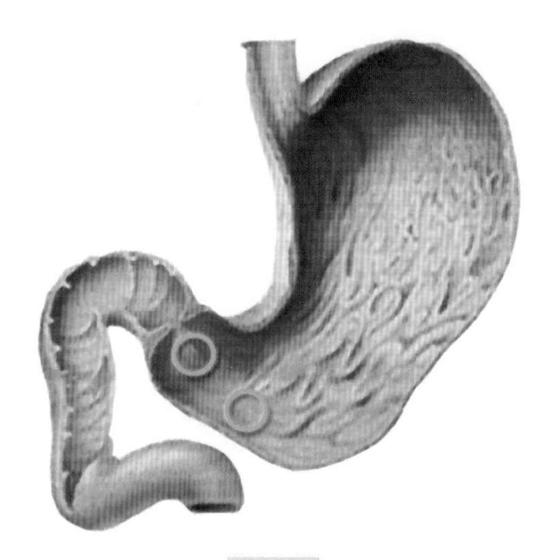

그림 14

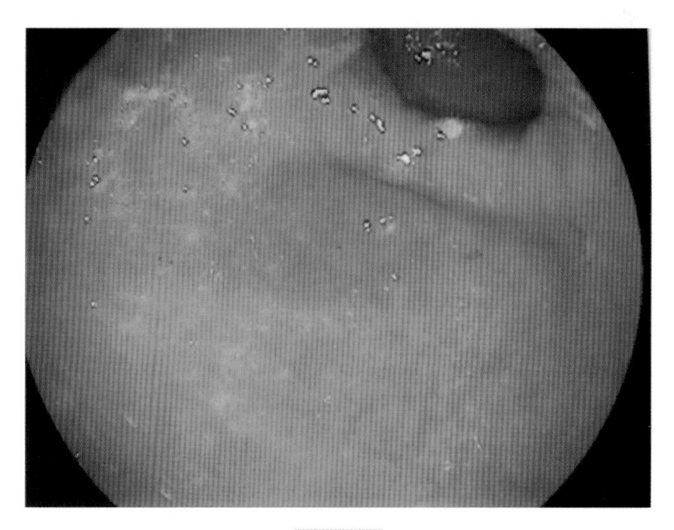

그림 15

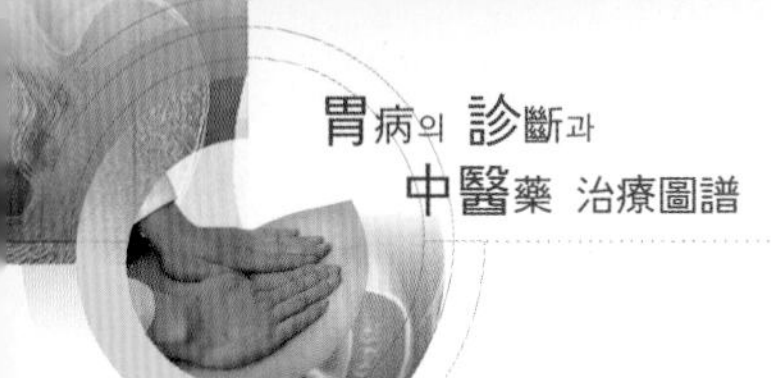

• **施術方法** : ①腹部直摩法 : 환자는 仰臥位이고 시술자는 환자의 왼쪽에 서 있는다. 오른손의 大魚際를 상복부의 鳩尾穴에 힘을 주지 않은 상태로 자연스럽게 대고 鳩尾穴부터 上脘穴을 거쳐 下方의 關元穴까지 바로 내려오면서 摩動한다. 매분마다 15~20번, 6분간 지속적으로 시술하며 熱이 투과되도록 한다. 鳩尾穴을 直摩하는 도면(그림 16).
②點按法 : 章門, 豊隆, 陰陵泉, 公孫穴 등 각혈에 2분씩 시술한다.

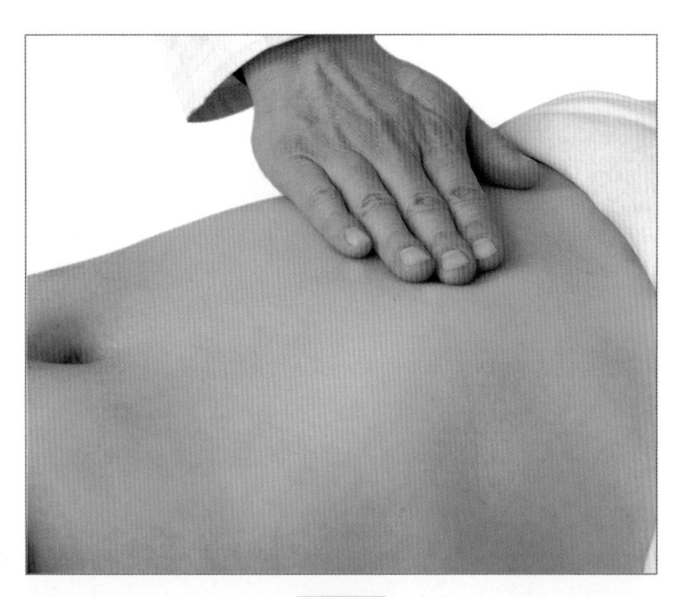

그림 16

濕熱中阻

- 症狀 : 胃脘疼痛, 嘈雜灼熱, 口乾口苦, 納呆惡心.
- 舌像 : 舌苔薄黃膩, 舌尖赤(그림 17), 脈滑數.
- 胃粘膜像 : 위내시경이 위두부에 들어가서 유문과 대만측을 촬영하였다(그림 18). 유문공의 표면에는 연한 황색의 액체로 덮여 있고, 유문전(幽門前) 구역과 위두대만측의 점막은 光滑하지 못하며 斑片狀의 충혈이 보인다(그림 19).
- 治法 : 淸熱化濕, 和胃止痛.

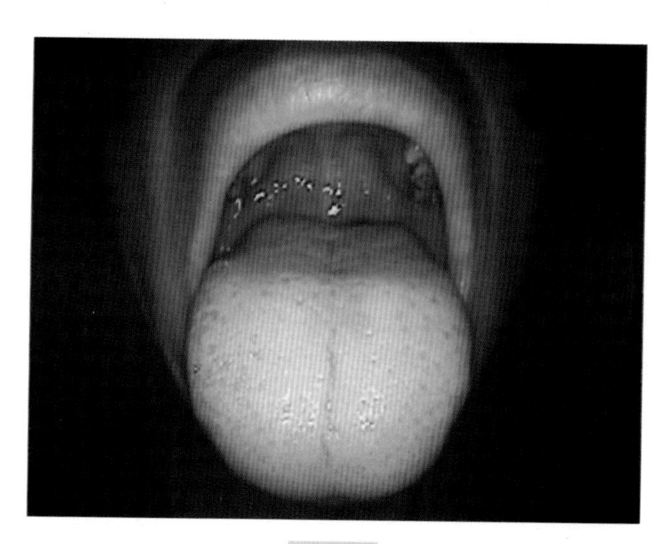

그림 17

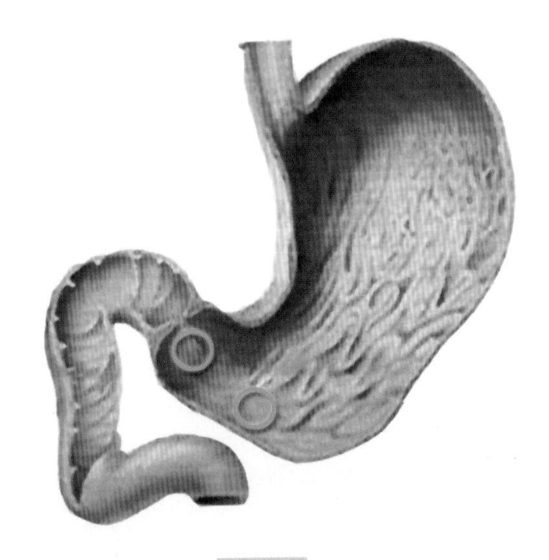

그림 18

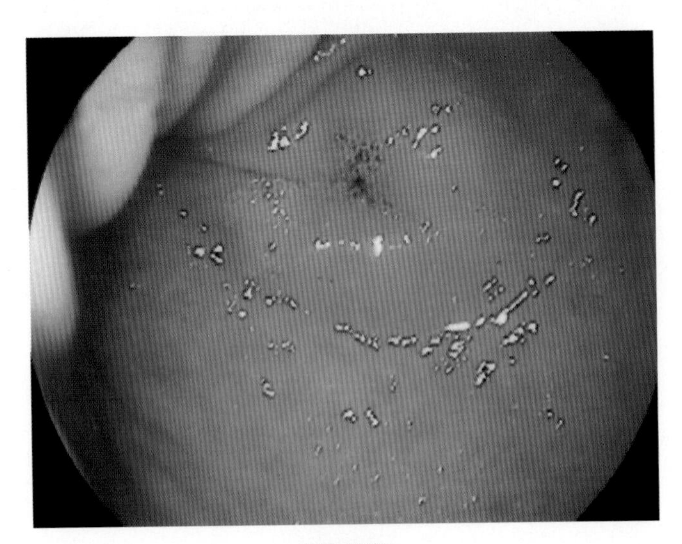

그림 19

- **藥物** : 黃連, 梔子, 竹茹, 公英, 淸半夏, 橘紅, 白豆蔲, 枳殼, 厚朴, 大腹皮, 烏賊骨, 延胡索.
- **針灸取穴** : 中脘, 曲池, 內庭, 豊隆, 陰陵泉, 太白.
- **施鍼方法** : 行鍼得氣후 曲池, 內庭, 太白穴에는 瀉法을 응용하고, 中脘, 豊隆, 陰陵泉에는 平補平瀉의 先瀉後補法을 응용한다. 內庭穴을 瀉하는 도면(그림 20).

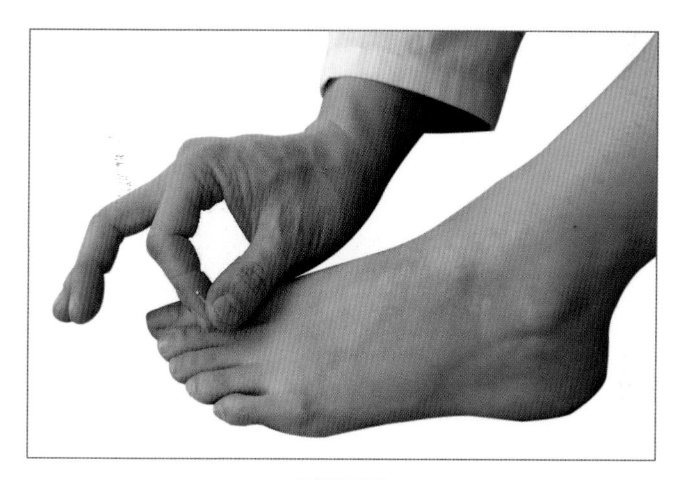

그림 20

- **推拿取穴** : 中脘, 曲池, 內庭, 豊隆, 陰陵泉, 太白, 腹哀, 大橫.
- **施術方法** : ①腹部直摩法 : 환자는 仰臥位이고 시술자는 환자의 오른쪽에 서 있는다. 오른손 손바닥을 누르지 않은 상태로 任脈의 上脘과 옆의 胃經의 穴 위에 대고 任脈의 上脘에서 關元, 양측 胃經의 承滿에서 水道穴까지 直下方으로 摩動한다. 매분마다 20~30번, 6~8분 동안 지속적으로 시술한다.

  ②點按法 : 中脘, 曲池, 內庭, 豊隆, 陰陵泉, 太白穴의 각혈에 2분씩 시술한다.

肝胃鬱熱

- 症狀 : 胃脘灼痛, 口乾口苦, 泛酸嘈雜, 心煩易怒.
- 舌像 : 舌苔黃燥, 舌質赤(그림 21), 脈弦數.

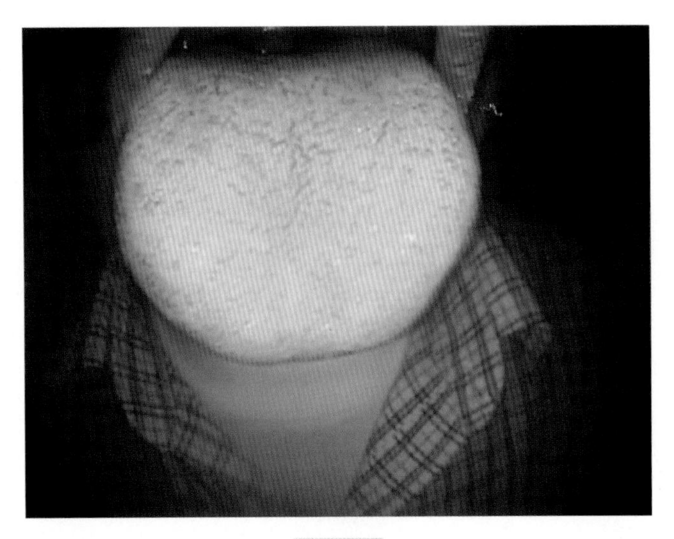

그림 21

- 胃粘膜像 : 위내시경이 위두부에 들어가서 유문과 위두 대만측을 촬영하였다(그림 22). 유문공은 크게 열려 있고, 유문전정부와 위두대만측의 점막은 光滑하지 않으며 點片狀의 충혈이 보인다(그림 23).

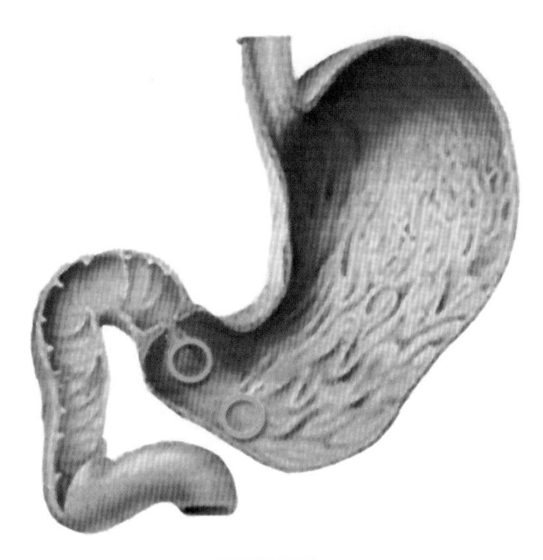

그림 22

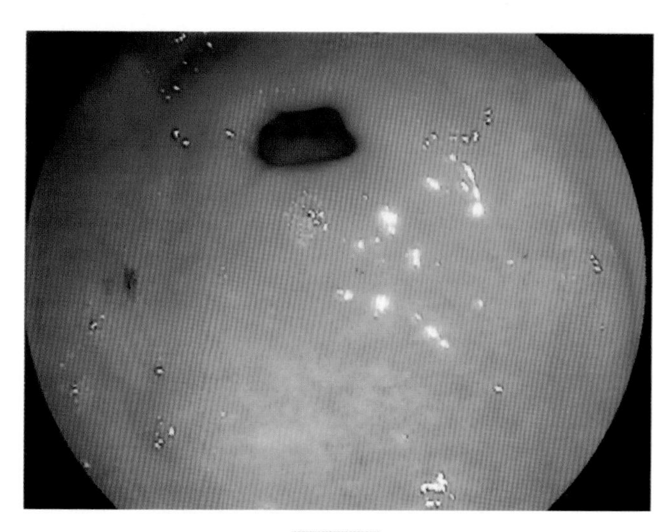

그림 23

- 治法 : 疏肝理氣, 泄熱和胃.
- 藥物 : 黃連, 竹茹, 梔子, 公英, 枳殼, 白芍, 佛手, 烏賊骨, 瓦楞子, 沙蔘.
- 針灸取穴 : 中脘, 足三里, 內庭, 陽陵泉, 行間.
- 施鍼方法 : 中脘, 足三里는 平補平瀉의 先瀉後補法을 응용하고, 內庭, 陽陵泉, 行間穴은 瀉法을 응용한다.
- 推拿取穴 : 中脘, 建里, 天樞, 期門, 陽陵泉, 內庭, 肝兪, 胃兪, 承滿, 不容.
- 施術方法 : ①分摩季肋下法 : 환자는 仰臥位이고 시술자는 환자의 오른쪽에 서 있는다. 食指, 中指, 無名指, 小指의 指面을 양측 季肋하부의 不容, 承滿穴에 대고 肋緣을 따라 內側에서 外下方으로 摩動하는데, 腹哀穴을 거쳐 京門穴까지 摩動한다. 매분마다 20~30번, 8분동안 지속적으로 시술한다.
  ②拿揉法 : 天樞, 中脘穴, 각혈에 2분씩 시술한다.
  ③點按法 : 中脘, 天樞, 期門, 陽陵泉, 內庭, 肝兪, 胃兪穴 각혈에 2분씩 시술한다. 期門穴을 點按하는 도면(그림 24).

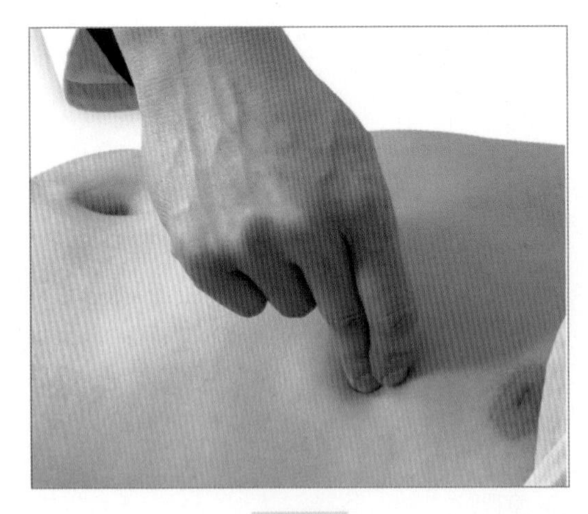

그림 24

脾胃虛寒

- **症狀** : 胃脘隱痛, 喜熱喜按, 空腹痛著, 進餐則緩.
- **舌像** : 舌苔白, 舌質淡紫(그림 25), 脈虛弱.

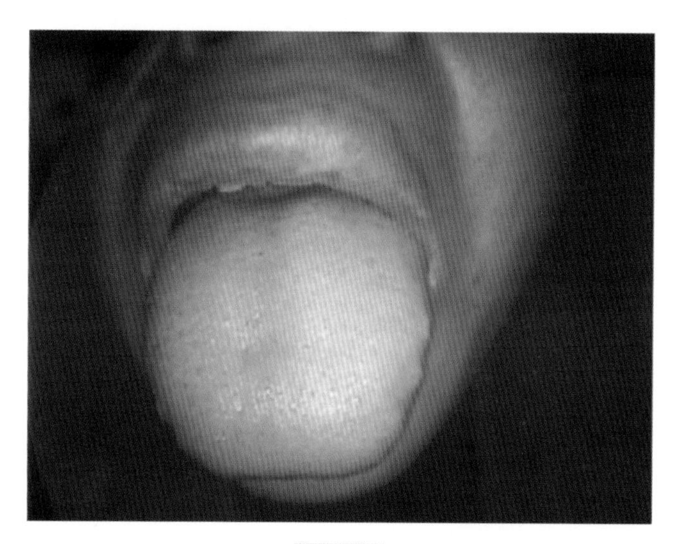

그림 25

- **胃粘膜像** : 위내시경이 위두부에 들어가서 유문공과 유문전정부를 촬영하였다(그림 26). 유문공은 크게 열려 있고, 유문전정부의 점막은 부종이 심하고 색깔은 연하며 광반사(光反射)는 증가하였다(그림 27).
- **治法** : 溫中健脾, 和胃止痛.
- **藥物** : 黃芪, 桂枝, 乾薑, 清半夏, 厚朴, 木香, 吳茱萸, 香附, 烏賊骨.
- **針灸取穴** : 建里, 章門, 中脘, 脾兪, 胃兪, 足三里.
- **施鍼方法** : 行鍼得氣후 補法에 灸法을 加하여 응용한다. 建里穴을 補하는 도면(그림 28).

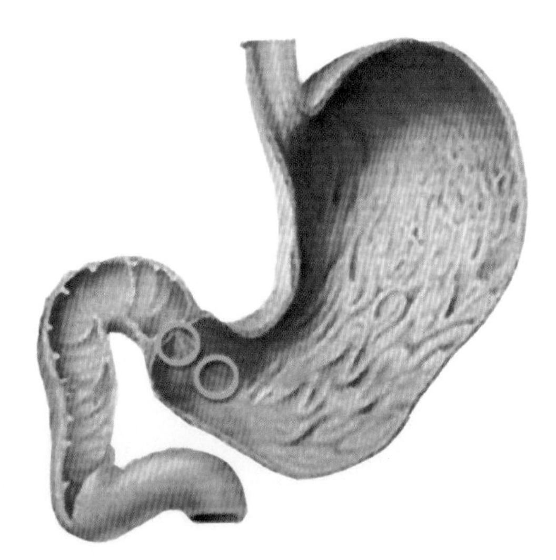

그림 26

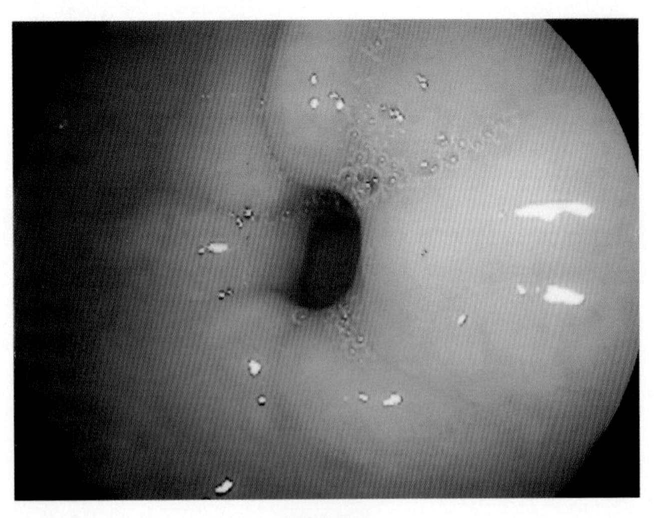

그림 27

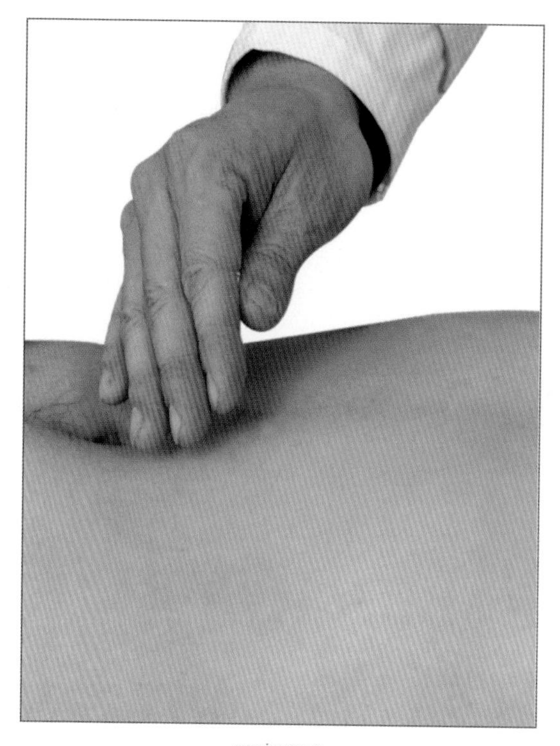

그림 28

• **推拿取穴** : 針灸取穴과 동일.

• **施術方法** : ①腹部單掌揉法 : 中脘과 建里에 揉法으로 매분마다 30번, 8분동안 지속적으로 시술한다.

②腹部單掌團摩法 : 中脘과 建里를 중심으로 團摩를 시작해 점차 확대하여 복부 전체를 시술한 후, 다시 中脘, 建里 部位로 되돌아오며 주기적으로 반복시행한다. 매분마다 20~30번, 6분 동안 지속적으로 시술한다.

③按揉法 : 足三里, 脾兪, 胃兪穴 각혈에 2분씩 시술한다.

④擦法 : 脾兪와 胃兪를 위주로 肝兪부터 大腸兪까지 양측 膀胱經을 따라 6분 동안 지속적으로 시술한다.

寒熱互結

- **症狀** : 胃脘隱痛, 滿悶不適, 惡心慾吐, 腸鳴便稀.
- **舌像** : 舌苔膩微黃, 舌邊尖赤(그림 29), 脈滑.

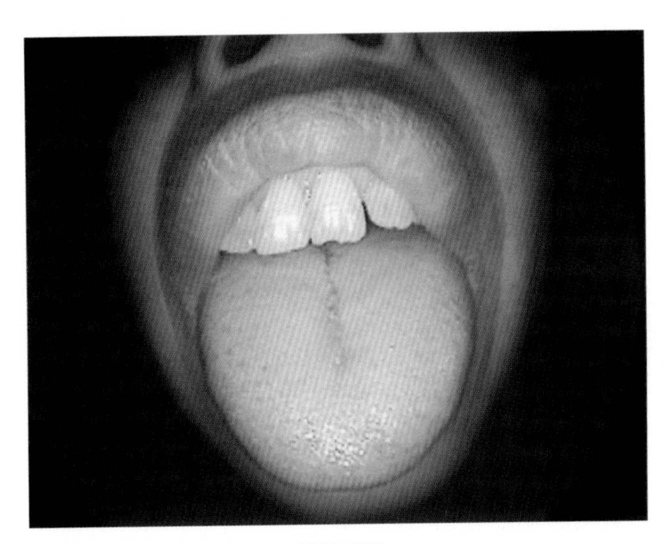

그림 29

- **胃粘膜像** : 위내시경이 위두부에 들어가서 위두부를 촬영하였다(그림 30). 위두부의 점막은 光滑하지 않으며 색깔은 붉고 하얀 것이 섞여 있고 산재한 부착성 점액반이 보인다(그림 31).
- **治法** : 寒熱平調, 和胃止痛.
- **藥物** : 淸半夏, 黃連, 乾薑, 黨蔘, 竹茹, 紫蘇梗, 薏苡仁, 吳茱萸, 枳殼, 瓦楞子.
- **針灸取穴** : 中脘, 天樞, 足三里, 內庭, 脾兪, 胃兪.
- **施鍼方法** : 行鍼得氣후 中脘, 足三里穴은 平補平瀉法을 응용하고, 天樞, 內庭穴에는 瀉法을 응용하며, 脾兪, 胃兪穴에는 補法에 灸法을 加하여 응용한다.

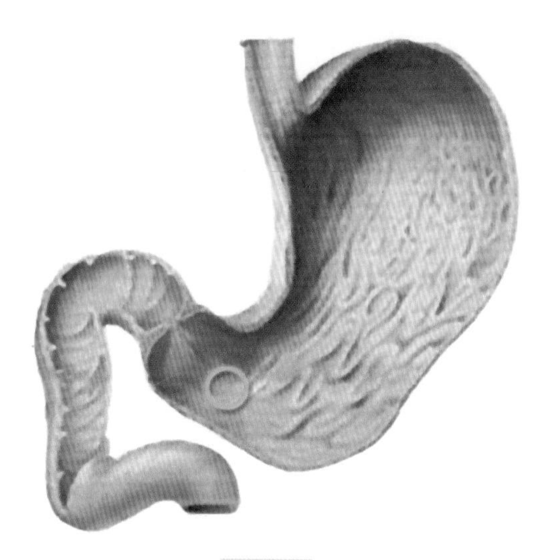

그림 30

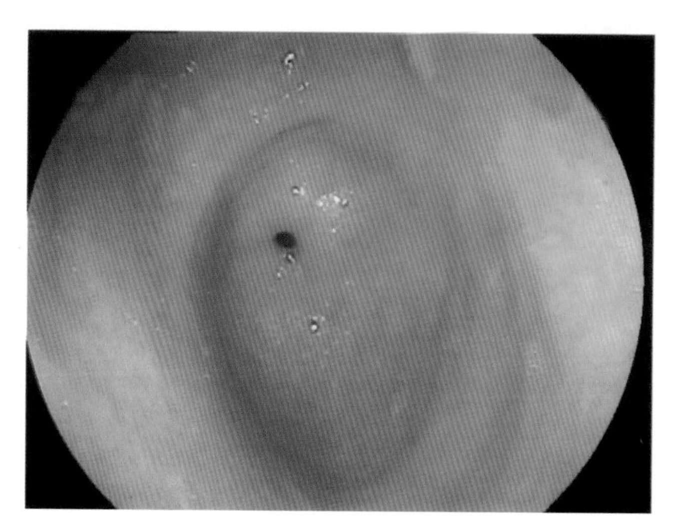

그림 31

• **推拿取穴** : 中脘, 天樞, 足三里, 內庭, 脾兪, 胃兪, 大腸兪.

• **施術方法** : ①腹部斜摩法 : 환자는 仰臥位이고 시술자는 환자의 오른쪽에 서 있는다. 두 손바닥을 좌우계륵에 대고 外上에서 內下方으로 斜行되게 摩動하는데, 太乙, 神闕, 天樞, 四滿穴을 거쳐 關元穴까지 반복으로 摩動한다. 매분마다 20~30번, 6분 동안 지속적으로 시술하며, 복부에 열이 날 정도로 摩動한다.

②點按法 : 中脘, 天樞, 曲池, 足三里, 內庭穴 각혈에 2분씩 시술한다.

③一指禪推法 : 脾兪, 胃兪를 거쳐 大腸兪까지 시술한다. 大腸兪을 推하는 도면(그림 32).

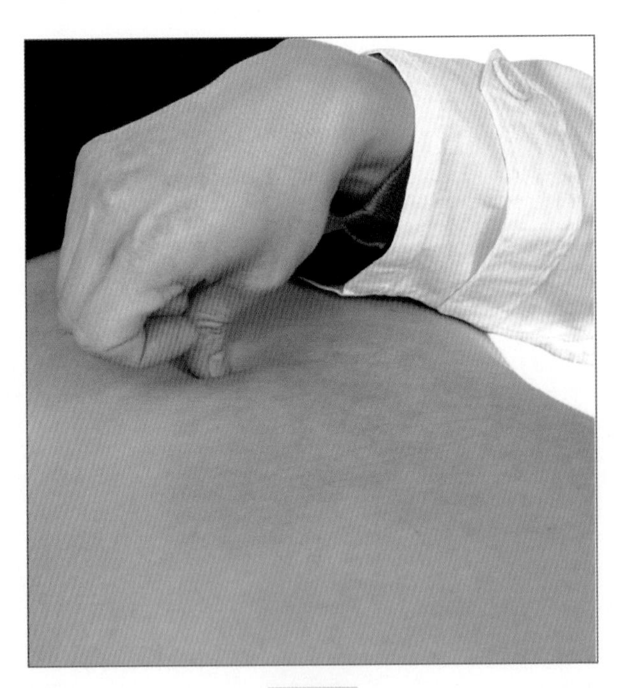

그림 32

瘀血阻絡

- 症狀 : 胃脘疼痛, 痛有定處, 痛時持久, 入夜加劇.
- 舌像 : 舌苔薄黃, 舌質紫暗(그림 33), 脈澁.
- 胃粘膜像 : 위내시경이 위두부에 들어가서 유문공과 소만측을 촬영하였다(그림 34). 유문은 規整되어 있지 못하고 소만측으로 치우쳐져 있으며, 위두점막은 光滑하지 못하고 斑片狀의 충혈이 보인다(그림 35).

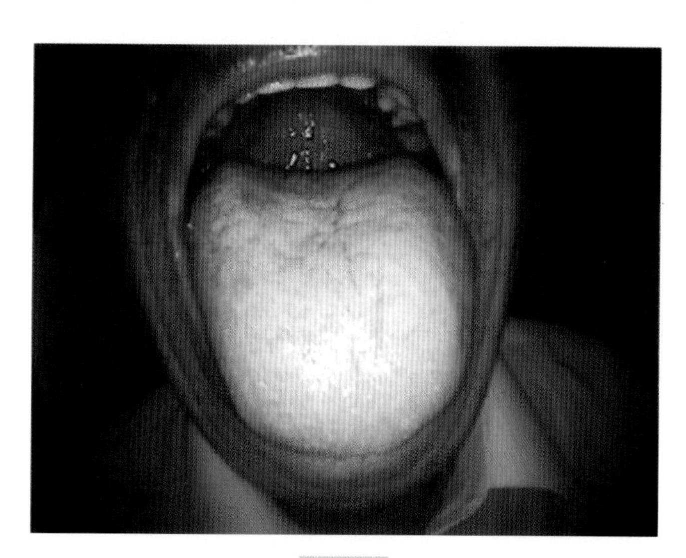

그림 33

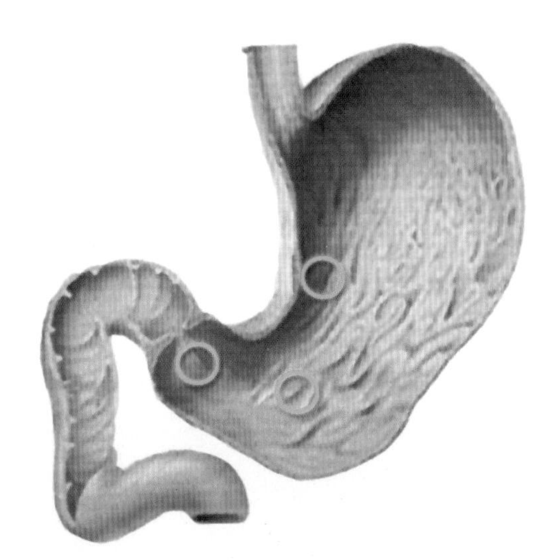

그림 34

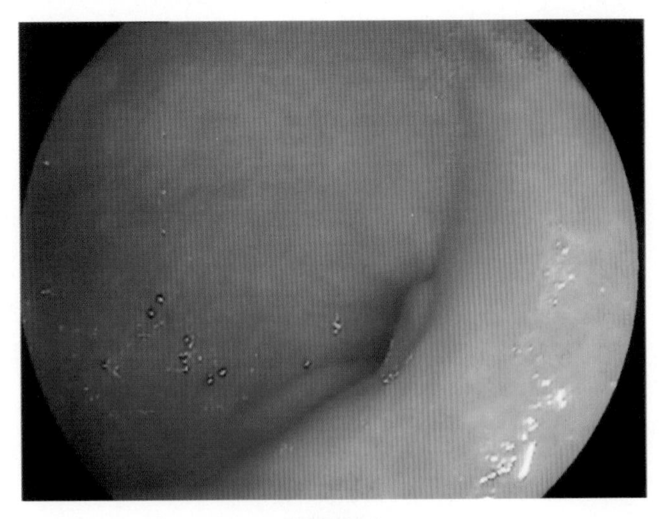

그림 35

- **治法** : 活血化瘀, 通絡止痛.
- **藥物** : 檀香, 枳殼, 砂仁, 丹蔘, 木香, 延胡索, 三七粉, 蒲黃, 當歸, 鬱金.
- **針灸取穴** : 中脘, 建里, 天樞, 公孫, 肝兪, 胃兪.
- **施鍼方法** : 行鍼得氣후 平補平瀉의 先瀉後補法을 응용한다.
- **推拿取穴** : 針灸取穴과 동일.
- **施術方法** : ①腹部抖動拿法 : 환자는 仰臥位이고 시술자는 환자의 오른쪽에 서 있는다. 양손의 다섯 손가락을 집게모양으로 하여 足陽明胃經의 梁門穴부터 天樞까지 피부와 피하조직을 집어 들어내며 상하방향으로 8~10번 정도 가볍게 抖動한다. 빈도는 매분마다 약 10번이며 환자자신이 酸脹하고 편해지는 감각이 느껴야 효과적이다. 梁門穴을 提拿하는 도면(그림 36).

  ②點按法 : 中脘, 建里, 天樞, 公孫穴 각혈에 2분씩 시술한다.

  ③一指禪推法 : 肝兪부터 胃兪까지 6분간 시술한다.

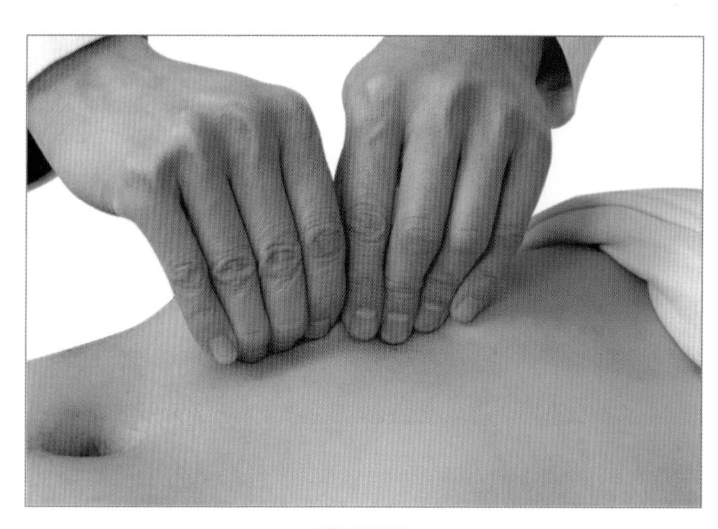

그림 36

9. 膽汁 逆流性 胃炎

膽胃不和

• **症狀** : 胃脘部燒灼樣疼痛, 餐後明顯, 胸悶噯氣, 遇煩惱加重.
• **舌像** : 舌苔薄白, 舌質淡赤(그림 37), 脈弦細.

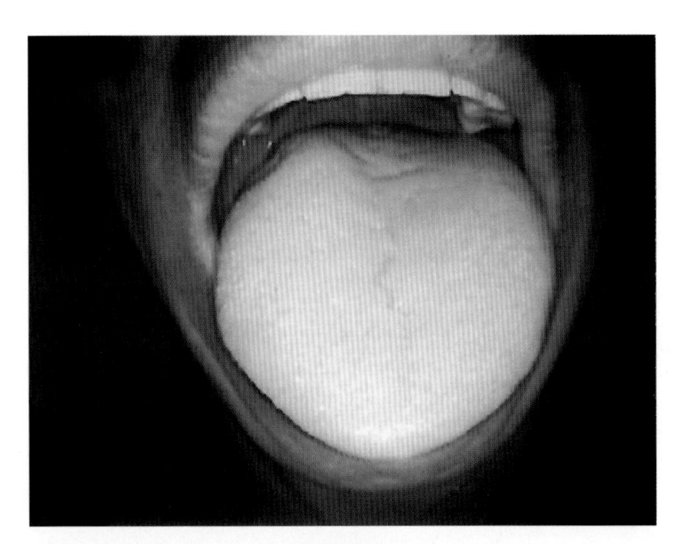

그림 37

• **胃粘膜像** : 위내시경이 위두부에 들어가서 유문과 유문전정부를 촬영하였다(그림 38). 유문공은 크게 열려 있고, 유문전정부의 점막에는 斑片狀의 충혈이 보이며 표면은 담황색의 액체로 덮여 있다(그림 39).
• **治法** : 舒膽和胃, 理氣降逆.
• **藥物** : 柴胡, 枳殼, 厚朴, 木香, 薑半夏, 黃連, 吳茱萸, 紫蘇梗, 烏賊骨.
• **針灸取穴** : 下脘, 天樞, 公孫, 內庭, 太衝, 陽陵泉.

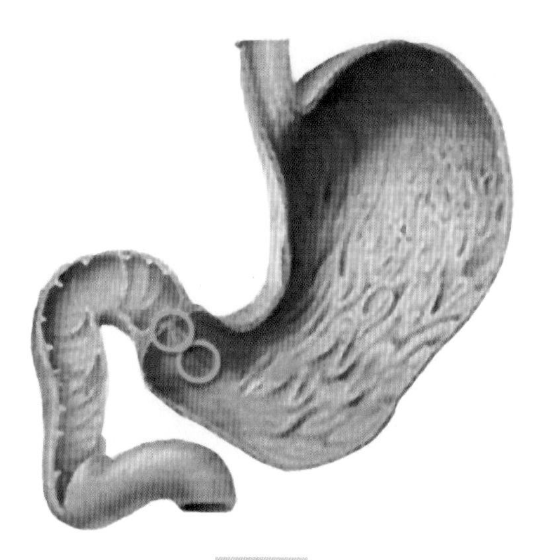

그림 38

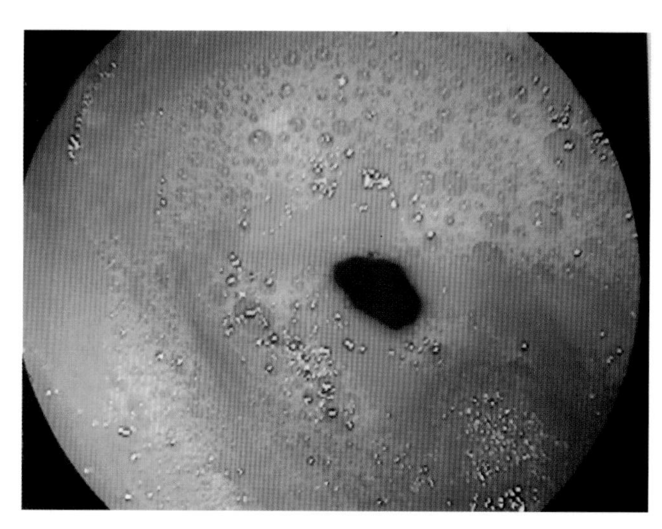

그림 39

• **施鍼方法** : 陽陵泉, 太衝, 內庭穴에는 瀉法을 응용하고, 下脘, 天樞, 公孫穴에는 平補平瀉의 先瀉後補法을 응용한다. 太衝穴을 瀉하는 도면(그림 40).

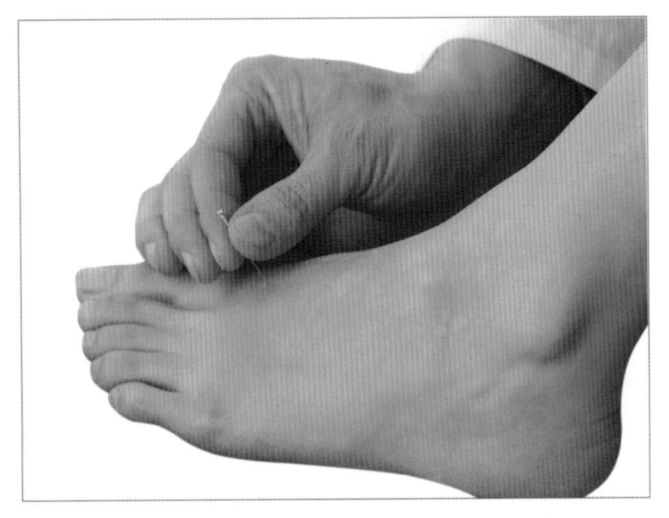

그림 40

• **推拿取穴** : 上脘, 中脘, 下脘, 幽門, 章門, 期門, 梁門, 天樞, 承滿, 水道.

• **施術方法** : ①腹部直摩法 : 환자는 仰臥位이고 시술자는 환자의 오른쪽에 서 있는다. 오른손 손바닥에 힘을 안주면서 자연스럽게 임맥과 양측위경상에 대고, 복부의 上脘穴에서부터 關元까지와 양측 承滿부터 水道까지 동시에 위에서 아랫방향으로 반복 摩動한다. 매분마다 20~30번, 6~8분 동안 지속적으로 시술한다.

②點三脘開四門法 : 환자는 仰臥位이고 시술자는 환자의 오른쪽에 서 있는다. 오른손의 食指, 中指, 無名指의 세 손가락을 上脘, 中脘, 下脘의 三脘에 대고, 왼손의 拇指, 食指, 中指, 無名指로 幽門, 章門, 期門, 梁門에 點按하며, 點按시 손끝을 가볍게 누르다가 서서히 힘을 주고 잠시 멈추다가 다시 서서히 시작하는 방법으로 반복적으로 3분 동안 지속적으로 시술한다.

濕濁停滯

- **症狀**：胃脘灼熱疼痛, 嘔吐痰涎苦水, 食少納減, 體倦乏力.
- **舌像**：舌苔白厚 舌質淡紫(그림 41), 脈濡.

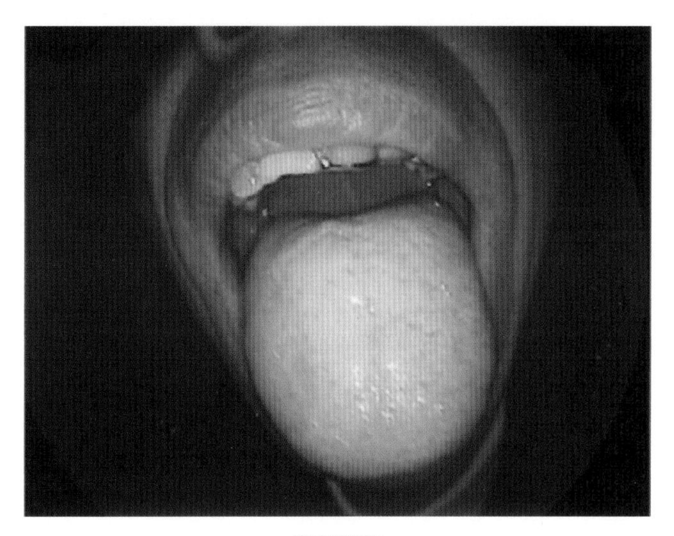

그림 41

- **胃粘膜像**：위내시경이 위두부에 들어가서 유문과 대만측을 촬영하였다(그림 42). 유문공은 크게 열려 있고, 대만의 점막은 光滑하지 않으며 片狀의 紅斑이 있고 표면은 담황색의 액체가 덮여 있다(그림 43).
- **治法**：燥濕運脾, 行氣和胃.
- **藥物**：蒼朮, 厚朴, 枳殼, 木香, 紫蘇梗, 淸半夏, 佛手, 白豆蔻, 炒三仙.
- **針灸取穴**：陰陵泉, 陽陵泉, 太衝, 豊隆, 章門, 中脘, 脾兪, 胃兪.

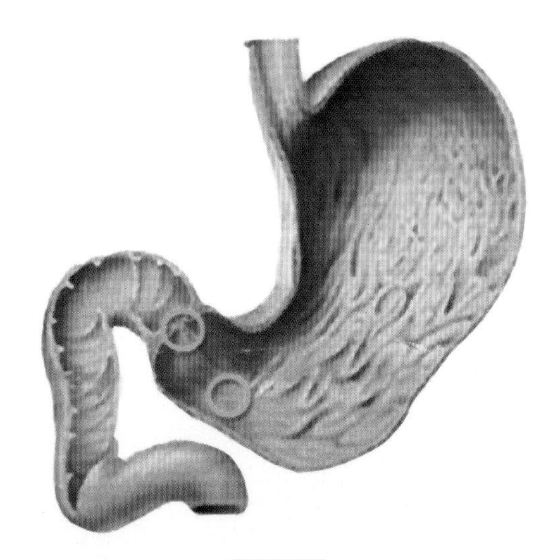

그림 42

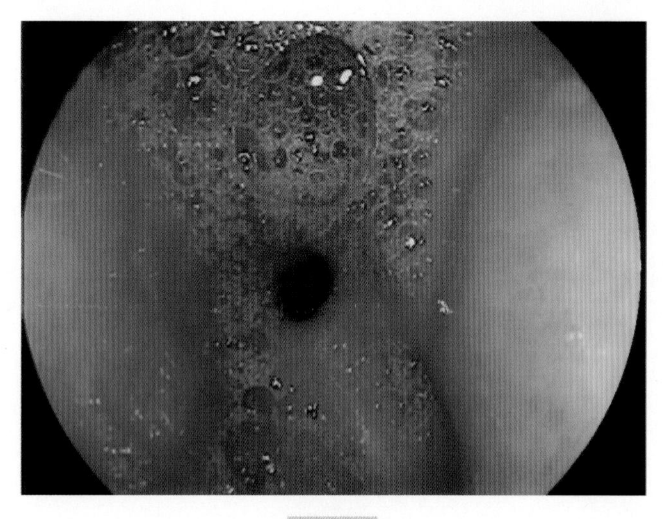

그림 43

- **施鍼方法** : 陽陵泉, 太衝穴에는 瀉法을 응용하고, 陰陵泉, 豊隆, 中脘, 章門穴에는 平補平瀉法을 응용하며, 脾兪, 胃兪穴에는 補法을 응용한다.
- **推拿取穴** : 針灸取穴과 同一.
- **施術方法** : ①點按法 : 陰陵泉, 陽陵泉, 太衝, 豊隆, 章門, 中脘穴의 각혈에 2분씩 시술한다.

②点按加一指禪推法 : 肝, 膽, 脾, 胃兪에 6~8분 동안 지속적으로 시술한다. 脾兪穴을 推하는 도면(그림 44).

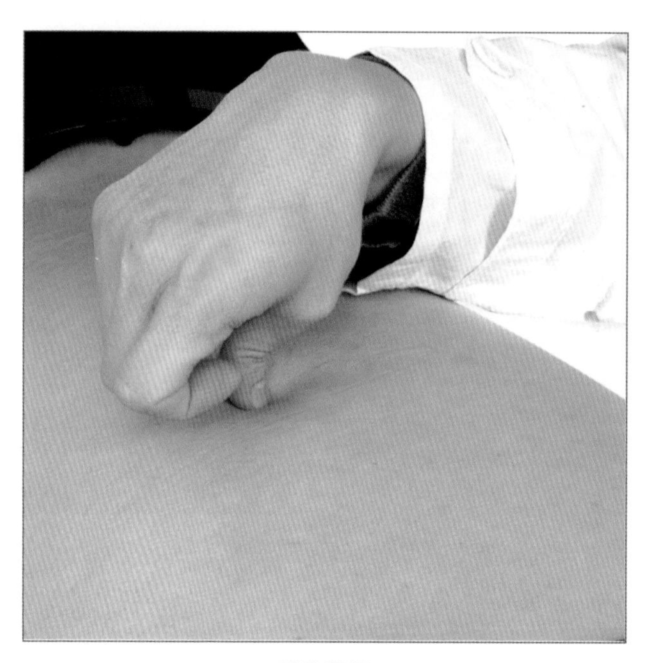

그림 44

濕熱中阻

- **症狀** : 胃脘灼痛, 口乾口苦, 納嘈惡心, 泛酸嘈雜.
- **舌像** : 舌苔黃膩, 舌質赤(그림 45), 脈滑數.
- **胃粘膜像** : 위내시경이 위두부에 들어가서 유문부와 유문전정부를 촬영하였다(그림 46). 유문공은 크게 열려 있고, 유문전정부의 점막은 명확하게 충혈되어 있으며, 대량의 황록색 액체가 유문공을 통하여 위두부로 역류되어 있다(그림 47).

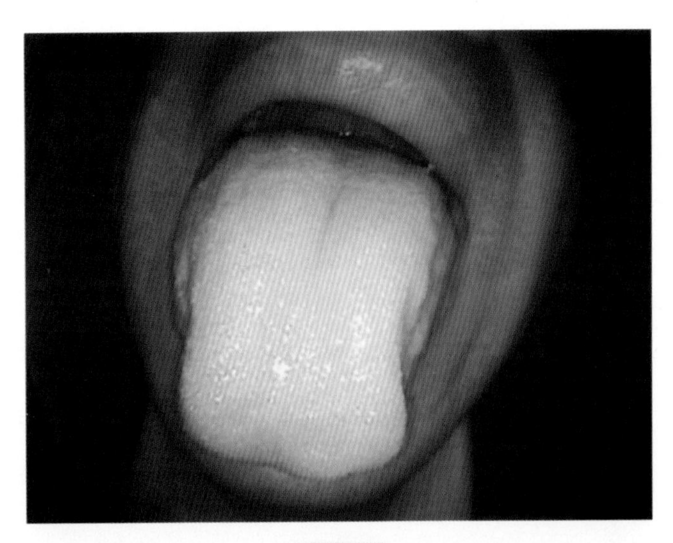

그림 45

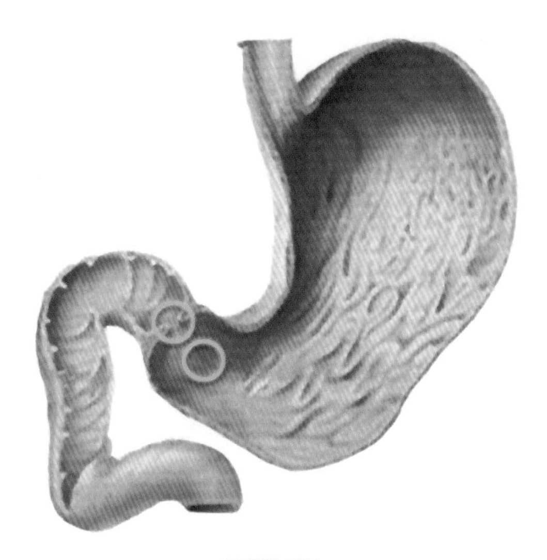

그림 46

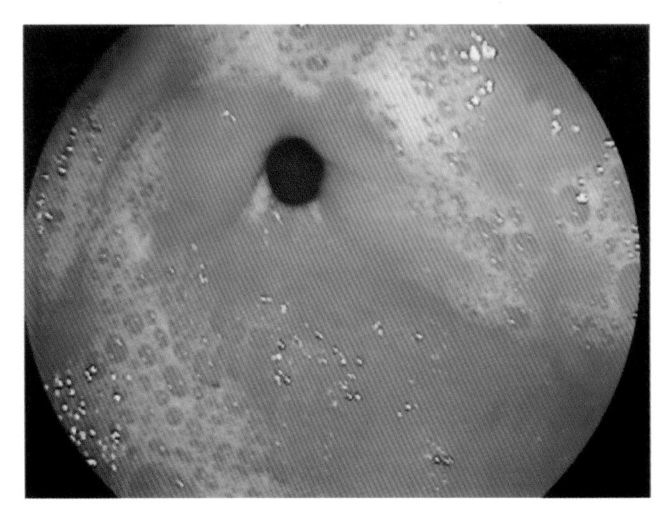

그림 47

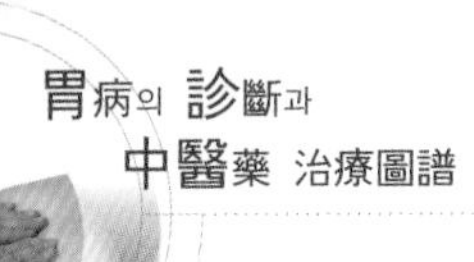

- **治法** : 清熱化濕, 理氣和中.
- **藥物** : 黃連, 厚朴, 清半夏, 梔子, 枳實, 大腹皮, 烏賊骨, 白豆蔻.
- **針灸取穴** : 內關, 梁門, 曲池, 陽陵泉, 俠溪, 足三里, 豊隆, 內庭.
- **施鍼方法** : 曲池, 陽陵泉, 俠溪, 內庭穴에는 瀉法을 응용하고, 內關, 梁門, 足三里, 豊隆穴에는 平補平瀉法을 응용한다.
- **推拿取穴** : 針灸取穴과 同一.
- **施術方法** : ①腹部直摩法 : 환자는 仰臥位이고 시술자는 환자의 오른쪽에 서 있는다. 오른쪽 손바닥에 힘을 주지 않은 상태로 任脈의 中脘과 양측 胃經에 가로로 놓고, 上脘에서 關元까지와 동시에 양측 承滿에서 水道까지 위에서 아래로 바로 내려오면서 반복해서 摩動한다. 매분마다 20~30번, 6~8분 동안 시술한다. 關元穴을 直摩하는 도면(그림 48)
  ②點按法 : 曲池, 陽陵泉, 俠溪, 足三里, 豊隆, 內庭穴 각혈에 2분씩 시술한다.

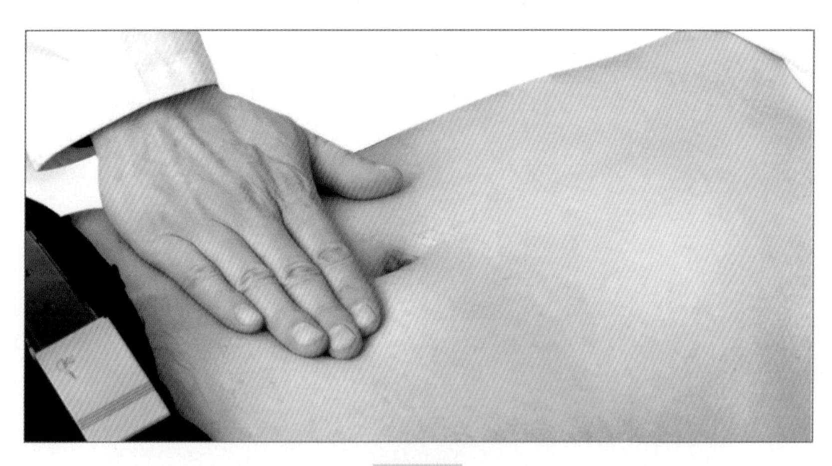

그림 48

10. 慢性 糜爛性 胃炎

脾胃虛寒

- 症狀：胃脘隱痛, 喜溫喜按, 泛吐淸水, 神疲納呆.
- 舌像：舌苔薄白, 舌質淡胖(그림 49), 脈細弱.

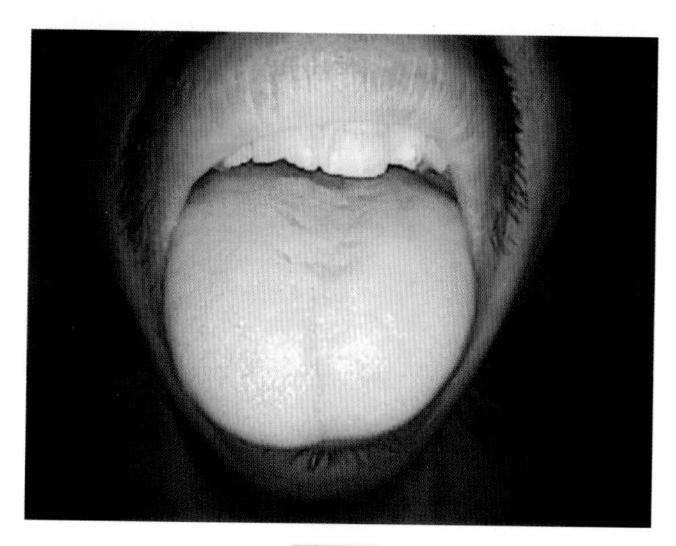

그림 49

- 胃粘膜像：위내시경이 위두부에 들어가서 대만측의 후벽을 촬영하였다(그림 50). 위두점막의 색깔은 연하고 후벽과 대만에는 구진(丘疹)모양의 隆起가 많으며 직경은 5~10㎝이고 그 위에는 糜爛으로 凹陷되어 있다(그림 51).
- 治法：溫中散寒, 和胃止痛.
- 藥物：黃芪, 桂枝, 淸半夏, 厚朴, 木香, 烏賊骨, 薏苡仁, 延胡索, 白豆蔲.
- 針灸取穴：中脘, 章門, 天樞, 足三里, 關元, 脾兪, 胃兪.

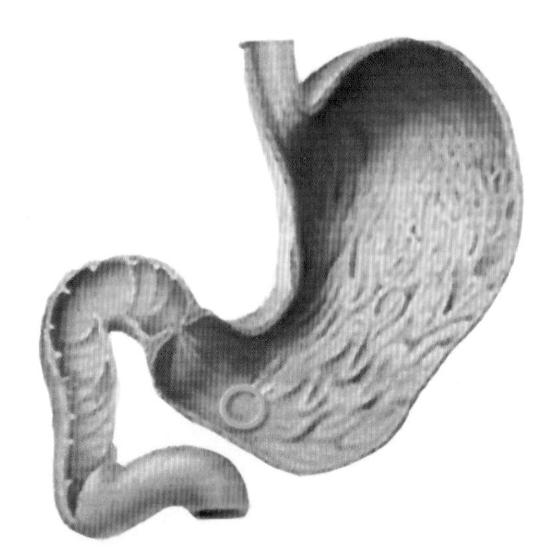

그림 50

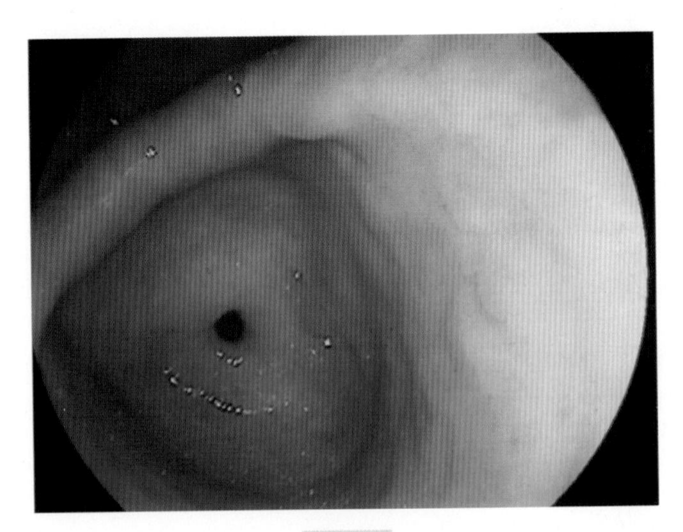

그림 51

• **施鍼方法**：行鍼得氣후 中脘, 章門, 足三里, 天樞에는 平補平瀉의 先瀉後補法을 응용하고, 關元, 脾兪, 胃兪에는 補法에 灸法을 加하여 응용한다.

• **推拿取穴**：針灸取穴과 同一.

• **施術方法**：①腹部單掌團摩法：환자는 仰臥位이고 시술자는 환자의 오른쪽에 서 있는다. 우측 손목과 손바닥 손가락 관절을 부드럽게 하고 힘을 주지 않는 상태에서 오른손의 손바닥을 中脘과 建里穴에 자연스럽게 놓는다. 上脘부터 下脘까지의 거리를 반경으로 하여 時針방향으로 圓形摩動을 하며 團摩부위를 배전체로 점차 확대시키다가 다시 원래자리에 되돌아오며 반복한다. 매분마다 20~30번, 6~10분 동안 지속적으로 시술하며, 복부의 열이 날 정도로 시술한다.

②點按法：中脘, 章門, 天樞, 足三里穴, 각혈에 2분씩 시술한다. 章門穴에 點按하는 도면(그림 52).

③一指禪推法：脾兪, 胃兪부터 大腸兪까지 8분 동안 지속적으로 시술한다.

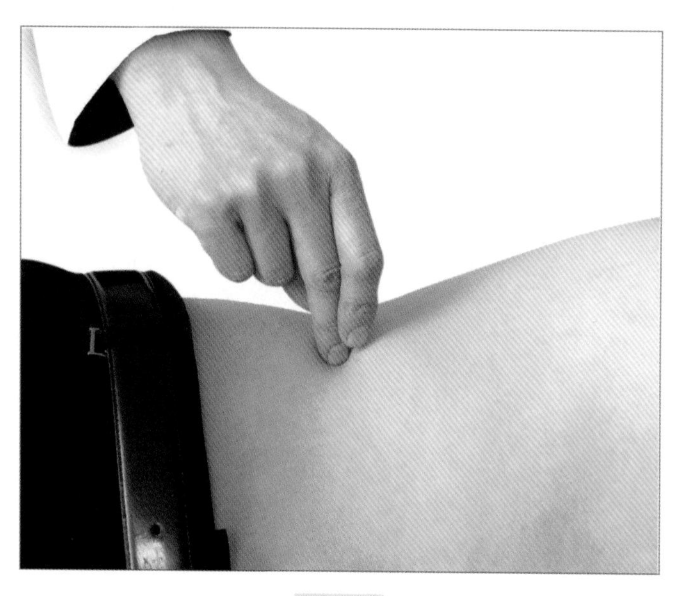

그림 52

肝鬱脾虛

- 症狀 : 胃脘脹痛, 連及兩脅, 四肢乏力, 食少納呆.
- 舌像 : 舌苔薄微黃, 舌質淡赤, 體胖有齒痕(그림 53), 脈弦細.

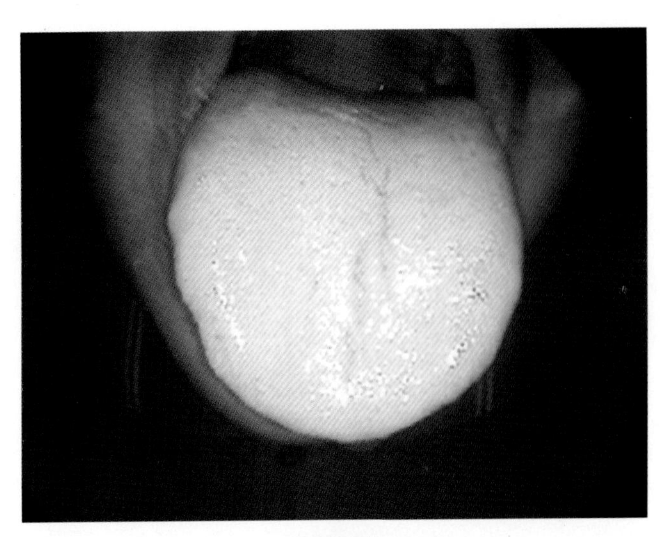

그림 53

- 胃粘膜像 : 유문과 위두부를 촬영하였다(그림 54). 위두부에는 丘疹모양의 隆起가 많이 있으며 중심은 미란상태이고 그 주변에는 크고 작은 홍반들이 있다(그림 55).
- 治法 : 疏肝健脾, 理氣止痛.
- 藥物 : 柴胡, 枳殼, 香附, 黨蔘, 雲苓, 佛手, 淸半夏, 薏苡仁, 炒三仙, 白豆蔻.
- 針灸取穴 : 陽陵泉, 行間, 期門, 足三里, 下脘, 梁門.
- 施鍼方法 : 陽陵泉, 行間, 期門穴에는 瀉法을, 下脘, 梁門穴에는 平補平瀉의 先瀉後補法을, 足三里穴은 補法을 응용한다.

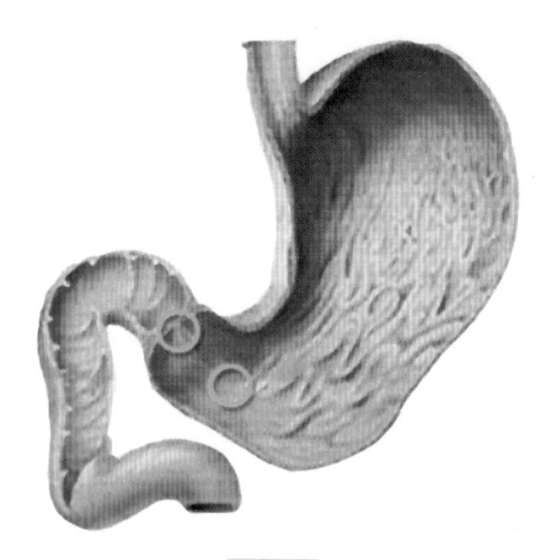

그림 54

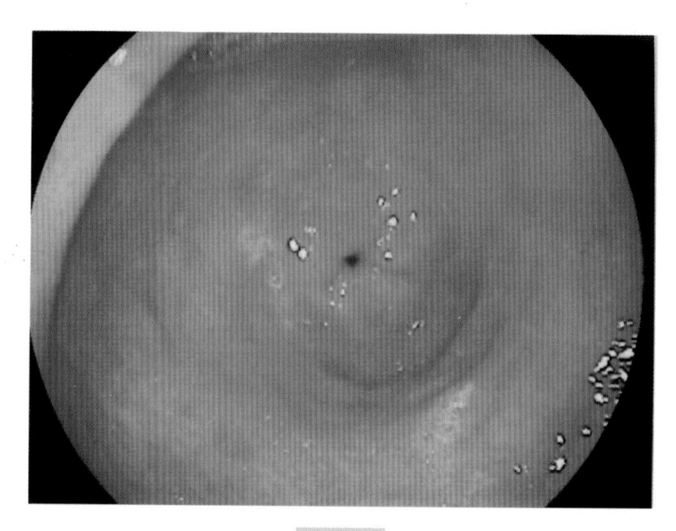

그림 55

- **推拿取穴** : 不容, 承滿, 腹哀, 京門, 下脘, 梁門, 肝兪, 脾兪, 胃兪, 腎兪.
- **施術方法** : ①分摩法 : 不容, 承滿, 腹哀, 京門穴을 매분마다 15~20번, 6분동안 지속적으로 시술한다. 京門穴을 分摩하는 도면(그림 56).
  ②一指禪推法 : 肝兪부터 腎兪까지 8분 동안 시술한다.

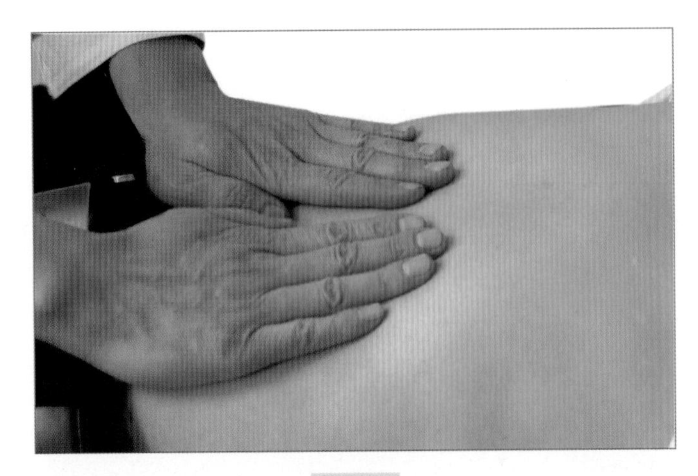

그림 56

氣滞瘀阻

- **症狀** : 胃脘刺痛, 痛連兩脅, 入夜尤甚, 胸悶噯氣.
- **舌像** : 舌苔薄白, 舌邊尖有瘀點(그림 57), 脈澁.
- **胃粘膜像** : 위내시경은 위체하부에 들어가 대만측을 촬영하였다(그림 58). 위체하부의 대만측에는 많은 팽대한 주름상의 隆起가 보이며 그 중심에 미란이 있다(그림 59).
- **治法** : 疏肝理氣, 活血化瘀.

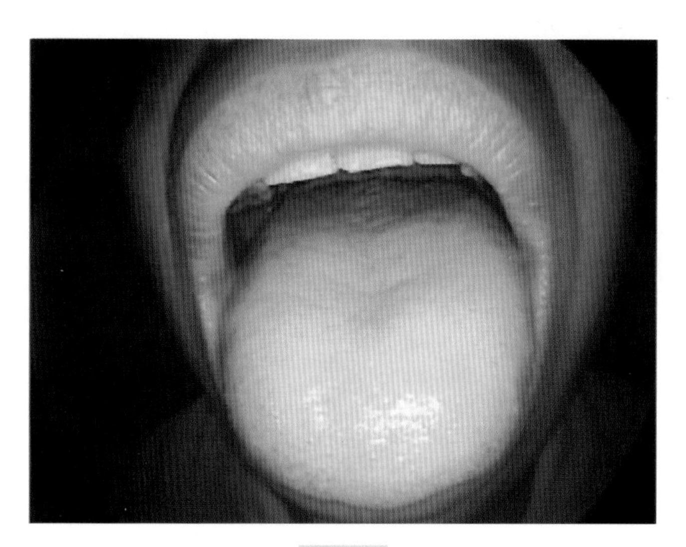

그림 57

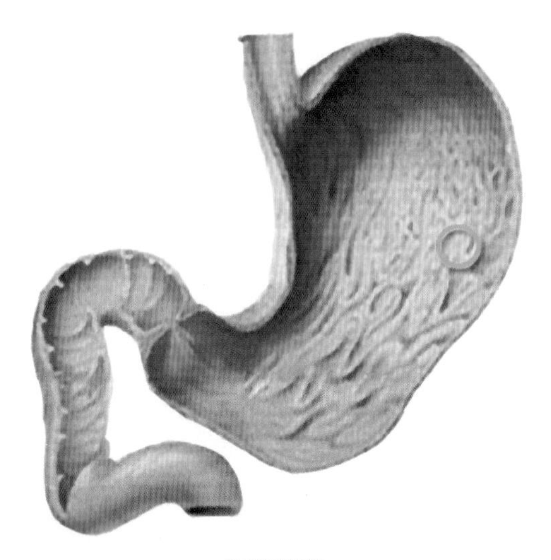

그림 58

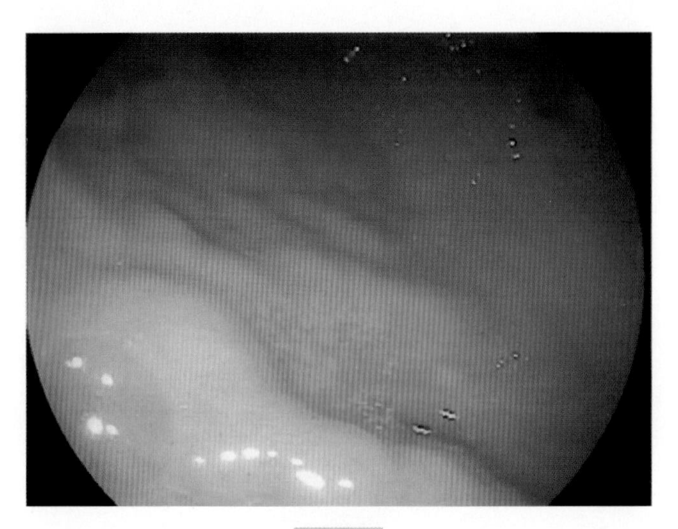

그림 59

- **藥物** : 柴胡, 枳殼, 鬱金, 香附, 當歸, 延胡索, 赤芍, 三七粉.
- **針灸取穴** : 梁門, 期門, 內關, 足三里, 太衝, 膈兪.
- **施鍼方法** : 行鍼得氣후 瀉法을 응용한다.
- **推拿取穴** : 梁門, 期門, 內關, 足三里, 太衝, 膈兪, 上脘, 中脘, 下脘, 幽門, 章門.
- **施術方法** : ①分摩季肋下法 : 不容, 承滿, 腹哀, 京門穴을 매분마다 15~20번, 6분 동안 지속적으로 分摩한다.

②點三脘開四門法 : 환자는 仰臥位이고 시술자는 환자의 오른쪽에 서 있는다. 오른손의 食指, 中指, 無名指을 上脘, 中脘, 下脘穴에 3분 동안 點按하고, 왼손의 拇指, 食指, 中指, 無名指으로 幽門, 章門, 期門, 梁門穴을 3분 동안 點按하며, 손에 힘을 가볍게 주다가 점차 무겁게 힘을 주고, 잠시 멈추다가 다시 서서히 시술하며 반복적으로 點按한다.

③點按法 : 內關, 足三里穴, 각혈에 2분씩 시술한다.

④點按加一指禪推法 : 膈兪, 肝兪부터 胃兪까지 點按과 一指禪推로 8분동안 시술한다. 肝兪穴을 推하는 도면(그림 60).

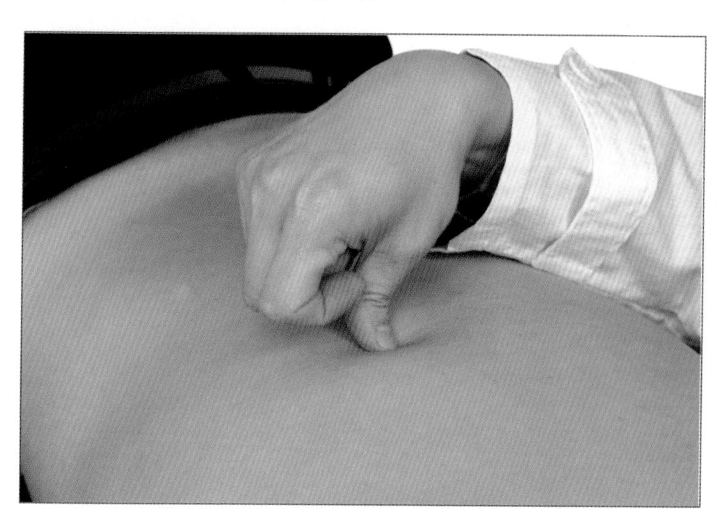

그림 60

濕熱蘊結

- **症狀** : 胃脘疼痛, 泛酸嘈雜, 口乾口苦, 納呆惡心.
- **舌像** : 舌苔黃膩, 舌尖邊赤(그림 61), 脈滑數.

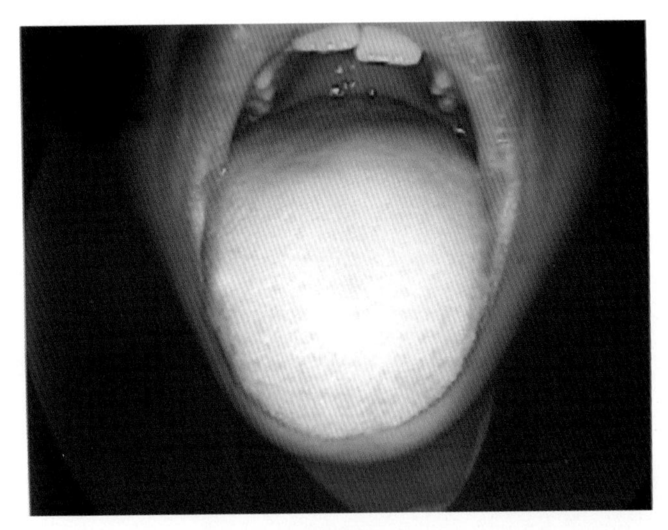

그림 61

- **胃粘膜像** : 위내시경이 위두부에 들어가서 전, 후벽을 촬영하였다(그림 62). 위두전벽에는 타원형모양의 隆起가 3개 보이고 그 위에는 糜爛으로 凹陷되어 있으며, 후벽에는 크고 작은 홍반들이 보인다(그림 63).
- **治法** : 清熱祛濕, 理氣散結.
- **藥物** : 黃連, 竹茹, 梔子, 清半夏, 枳實, 厚朴, 白蔻仁, 佛手, 瓦楞子, 橘紅.
- **針灸取穴** : 中脘, 天樞, 合谷, 豊隆, 陷谷, 陰陵泉, 太白.
- **施鍼方法** : 合谷, 陷谷, 太白穴에는 瀉法을 응용하고, 中脘, 天樞, 豊隆, 陰陵泉穴에는 平補平瀉法을 응용한다.

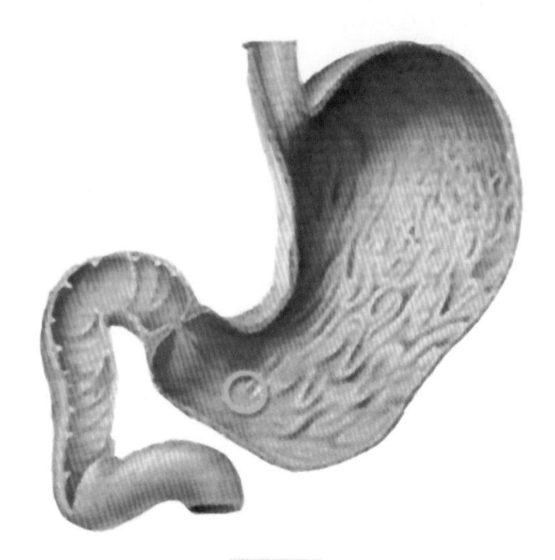

그림 62

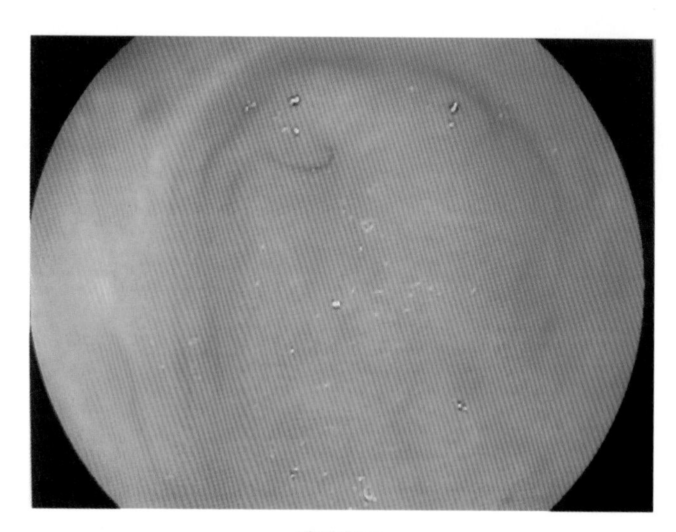

그림 63

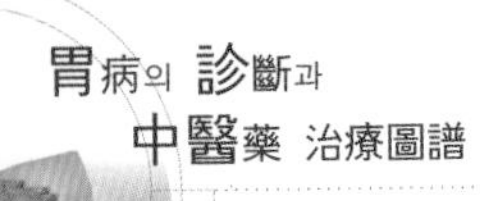

• **推拿取穴** : 中脘, 天樞, 合谷, 豊隆, 陷谷, 陰陵泉, 太白, 梁門, 腹哀, 建里, 大橫.

• **施術方法** : ①腹部直摩法 : 환자는 仰臥位이고 시술자는 환자의 오른쪽에 서 있는다. 오른손 손바닥을 힘을 주지 않은 상태로 任脈의 中脘과 양측 胃經위에 가로 놓고, 上脘에서 關元과 동시에 양측 承滿에서 水道까지 위에서 아래로 바로 내려오면서 반복하여 摩動한다. 매분마다 20~30번, 6~8분 동안 지속적으로 시술한다. 氣海穴을 直摩하는 도면(그림 64).

②點按法 : 中脘, 曲池, 豊隆, 內庭, 陰陵泉, 太白穴, 각혈에 2분씩 시술한다.

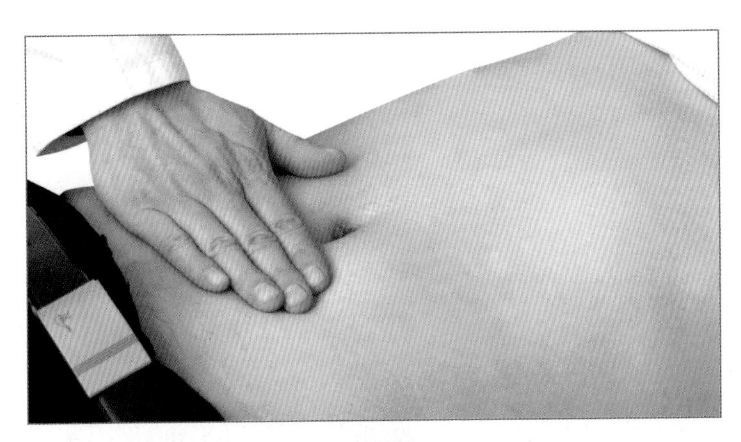

그림 64

胃火壅盛

- **症狀**：胃脘灼痛, 痛勢急迫, 泛酸嘈雜, 口乾喜飮.
- **舌像**：舌苔黃褐燥, 舌質赤(그림 65), 脈弦數.
- **胃粘膜像**：위내시경이 위두부에 들어가서 유문과 대만측을 촬영하였다(그림 66). 유문공은 크게 열려 있고, 위두대만측에는 구진모양의 隆起가 많으며 위쪽에는 미란상태이고, 그 주변에는 크고 작은 상한 홍반들이 동반되어 있다(그림 67).
- **治法**：養陰淸熱, 和胃止痛.
- **藥物**：黃連, 竹茹, 知母, 麥冬, 梔子, 公英, 烏賊骨, 瓦楞子, 沙蔘, 佛手.
- **針灸取穴**：曲池, 合谷, 下脘, 天樞, 足三里, 內庭.

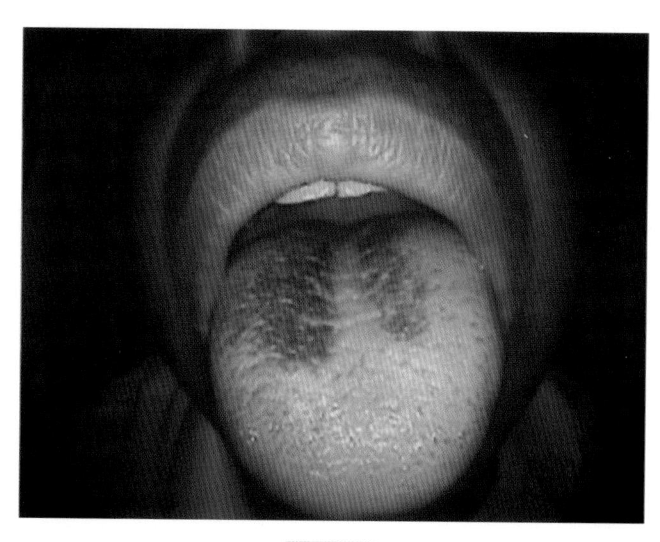

그림 65

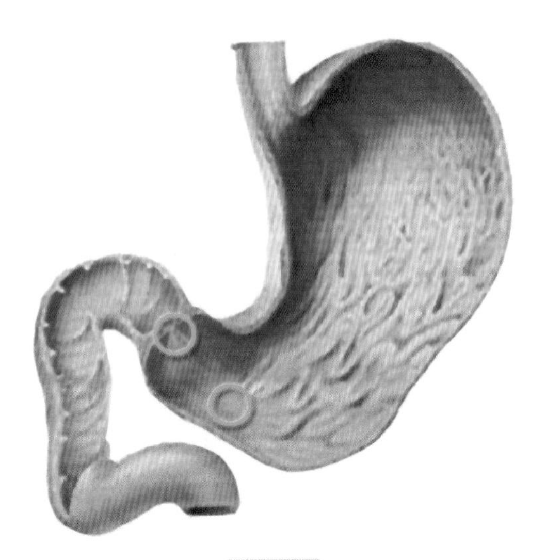

그림 66

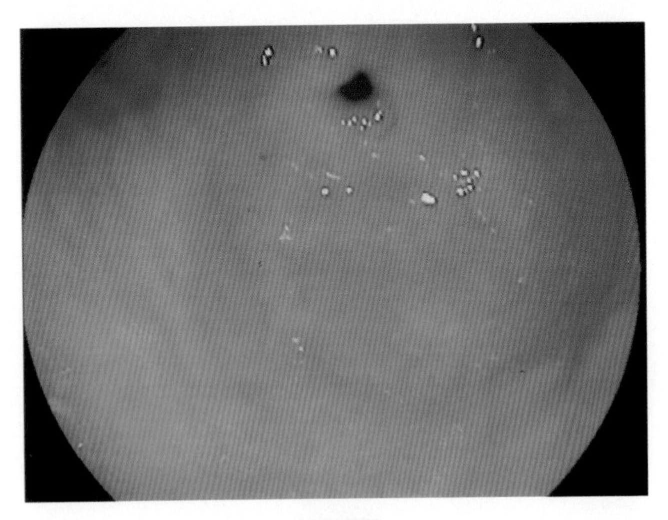

그림 67

• **施鍼方法** : 行鍼得氣후 瀉法을 응용한다.
• **推拿取穴** : 曲池, 合谷, 下脘, 天樞, 足三里, 內庭, 三焦兪, 大腸兪.
• **施術方法** : ①腹部直摩法 : 환자는 仰臥位이고 시술자는 환자의 오른쪽에 서 있는다. 힘을 주지 않은 상태로 任脈의 中脘와 양측 胃經위에 가로 놓고 上脘에서부터 關元까지와 동시에 양측 承滿에서 水道까지 위에서 아래 방향으로 곧장 내려오면서 반복적으로 摩動한다. 매분마다 20~30번, 6~8분 동안 지속적으로 시술한다. ②點按法 : 曲池, 合谷, 下脘, 天樞, 足三里, 內庭, 三焦兪, 大腸兪, 각혈에 2분씩 시술한다. 三焦兪를 點按하는 도면(그림 68).

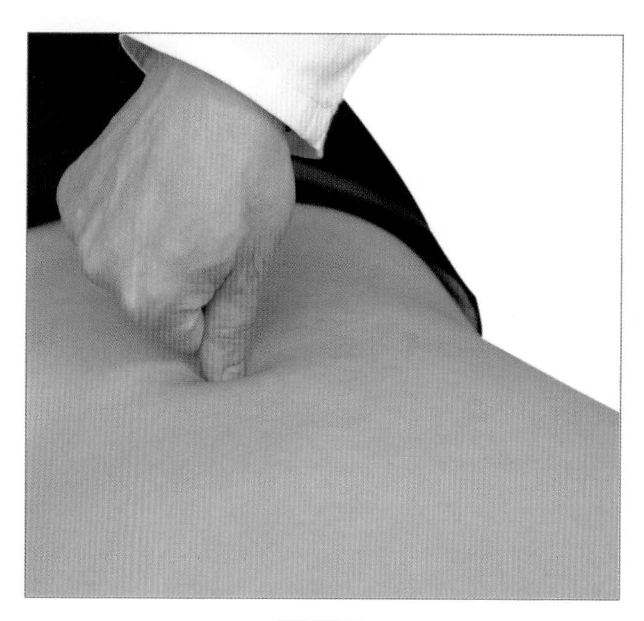

그림 68

11. 慢性 萎縮性 胃炎

肝鬱氣滯

- **症狀** : 胃脘痞滿, 兩脅作脹, 惡心噯氣, 食少納減.
- **舌像** : 舌苔薄白, 舌質淡赤(그림 69), 脈弦細.

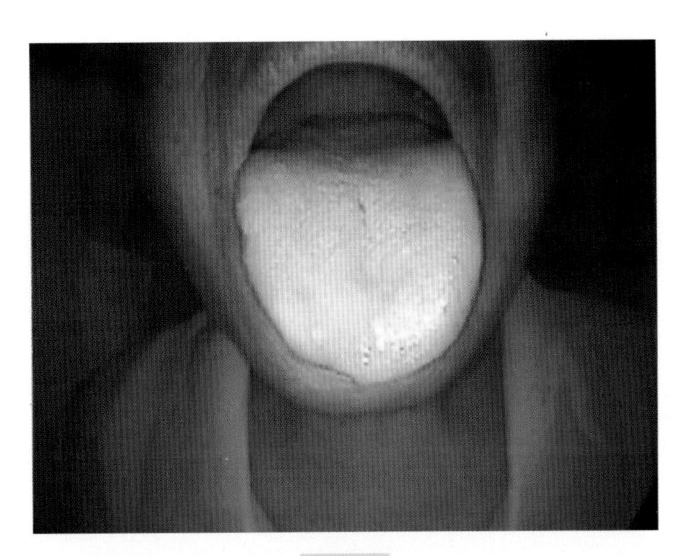

그림 69

- **胃粘膜像** : 위내시경이 위두부에 들어가서 유문공과 전벽을 촬영하였다(그림 70). 유문공은 크게 열려 있고, 위두전벽의 점막은 얇고 황백색이며 망상소혈관들의 노출이 현저하게 보인다(그림 71).
- **治法** : 疏肝解鬱, 理氣消痞.
- **藥物** : 香附, 枳殼, 佛手, 蒼朮, 梔子, 當歸, 紫蘇梗, 橘紅.

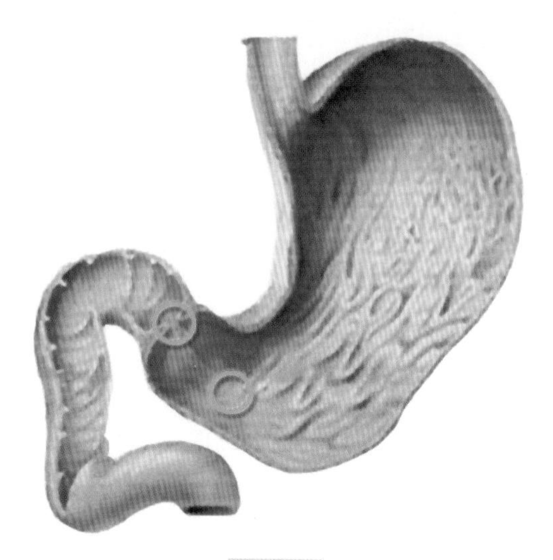

그림 70

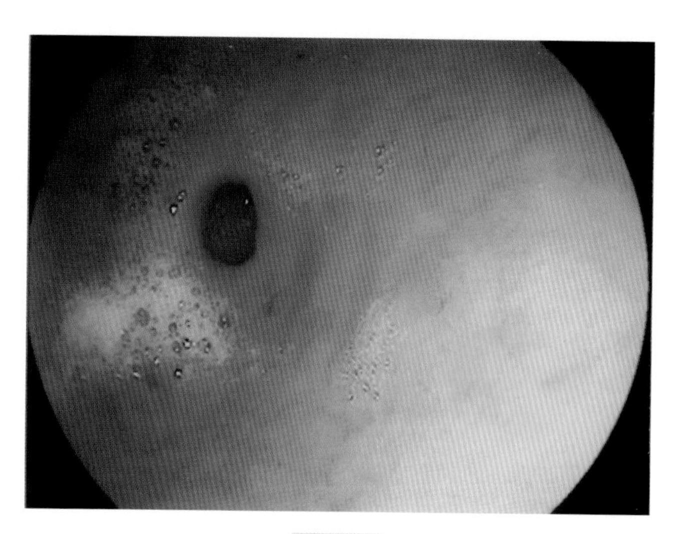

그림 71

- **針灸取穴** : 期門, 上脘, 梁門, 腹結, 大橫, 行間.
- **施鍼方法** : 行鍼得氣후 瀉法을 응용한다.
- **推拿取穴** : 期門, 上脘, 梁門, 腹結, 大橫, 行間, 足三里, 肝兪.
- **施術方法** : ①分摩季肋下法 : 不容, 承滿, 腹哀, 京門穴을 分摩한다. 매분마다 15~20번, 6분 동안 지속적으로 시술한다.
②點按法 : 期門, 上脘, 梁門, 腹結, 大橫, 陽陵泉, 足三里, 肝兪穴, 각혈에 2분씩 시술한다. 腹結穴을 點按하는 도면(그림 72).
③一指禪推法 : 肝兪부터 大腸兪까지 5분 동안 시술한다.

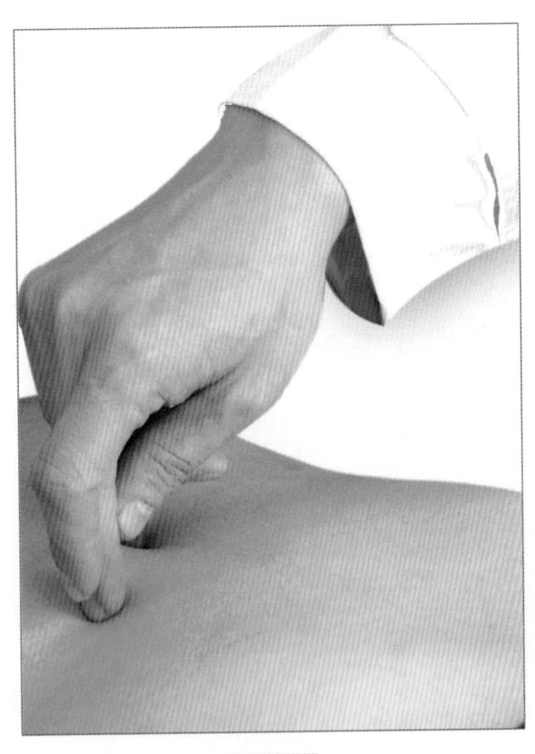

그림 72

痰濕內阻

- **症狀** : 胸脘痞塞, 滿悶不舒, 惡心欲吐, 身重倦怠.
- **舌像** : 舌苔白膩滑, 舌質淡赤, 舌體胖有齒痕(그림 73), 脈沉滑.

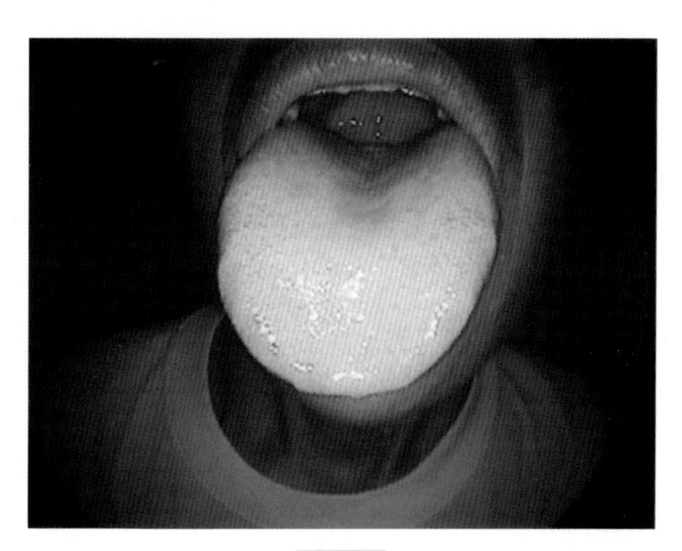

그림 73

- **胃粘膜像** : 위내시경이 위두부에 들어가서 유문공과 소만후벽을 촬영하였다(그림 74). 유문공은 크게 열려 있고, 소만후벽의 점막은 얇고 회황색이며 망상소혈관들의 노출이 현저하게 보인다(그림 75).
- **治法** : 祛濕化痰, 理氣寬中.
- **藥物** : 蒼朮, 厚朴, 陳皮, 清半夏, 枳殼, 白蔻仁, 薏苡仁, 杏仁, 佛手, 茯苓.
- **針灸取穴** : 中脘, 章門, 大橫, 豊隆, 公孫, 脾兪, 胃兪.
- **施鍼方法** : 大橫, 豊隆, 公孫穴은 瀉法을 응용하고, 中脘, 章門, 脾兪, 胃兪穴은

平補平瀉法을 응용한다.

• **推拿取穴** : 中脘, 章門, 大橫, 豊隆, 公孫, 脾兪, 胃兪, 三焦兪, 腎兪, 氣海兪.

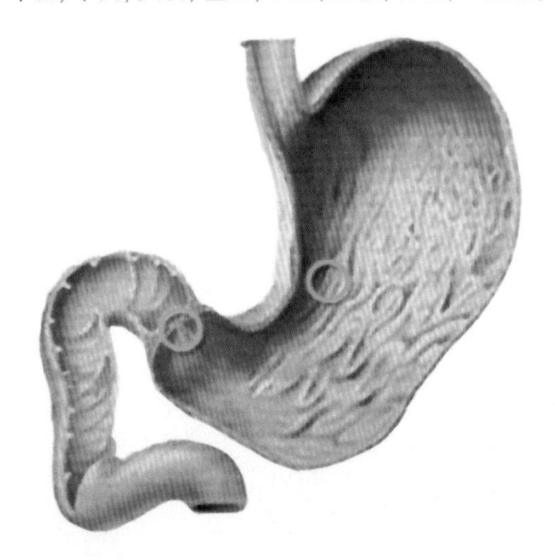

그림 74

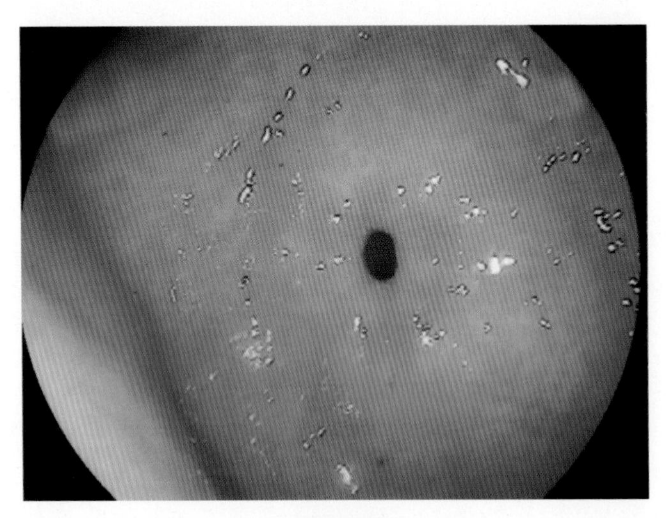

그림 75

• **施術方法:** ①點按法 : 中脘, 章門, 大橫, 豊隆, 公孫穴 각혈에 2분씩 시술한다.
② 一指禪推法 : 양측 脾兪, 胃兪, 三焦兪부터 大腸兪까지 8분 동안 시술한다. 脾兪에서 大腸兪까지 推法을 시술하는 도면(그림 76).

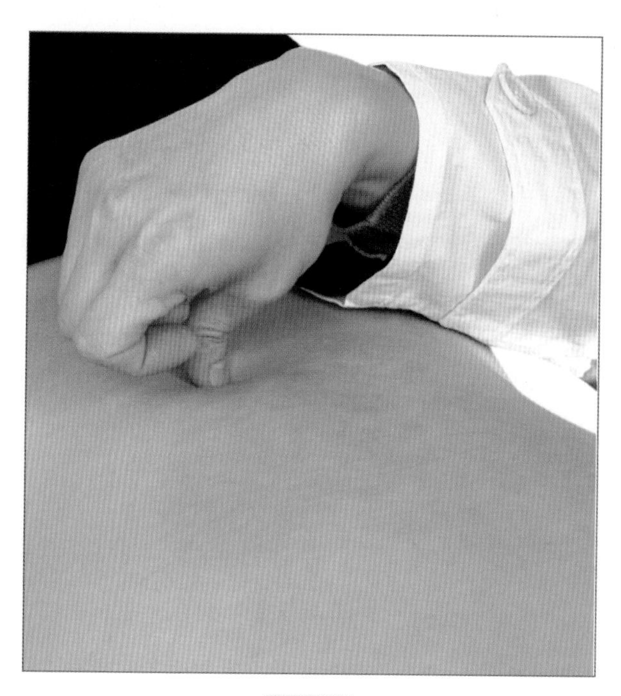

그림 76

肝胃鬱熱

- **症狀** : 胃脘痞滿, 心煩易怒, 口乾口苦, 食少納減.
- **舌像** : 舌苔黃燥, 舌質赤(그림 77), 脈弦數.
- **胃粘膜像** : 위내시경이 위두부에 들어가서 유문공과 대만측을 촬영하였다(그림 78). 유문공은 크게 열려 있고, 대만측의 점막은 片狀 灰黃色과 片狀 紅色斑이 교차되어 있으며 망상소혈관들의 노출이 현저하게 보인다(그림 79).

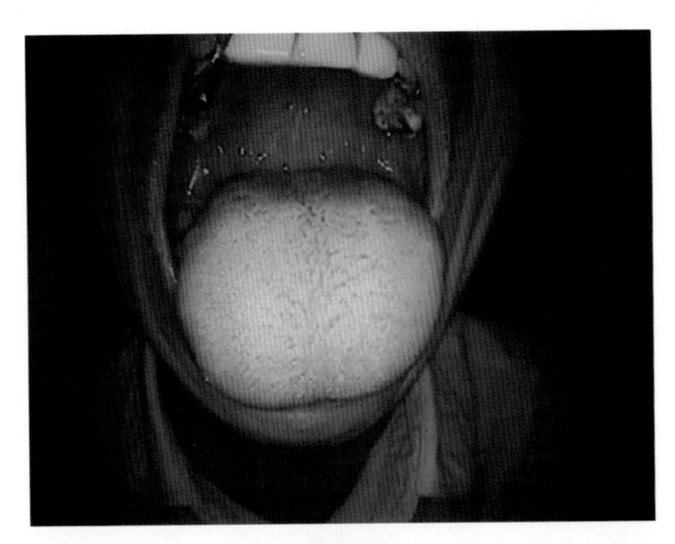

그림 77

- **治法** : 疏肝理氣, 泄熱和胃.
- **藥物** : 黃連, 竹茹, 梔子, 當歸, 白芍, 佛手, 枳殼, 厚朴, 知母, 沙蔘.
- **針灸取穴** : 下脘, 大橫, 陽陵泉, 足三里, 內庭, 行間.
- **施鍼方法** : 陽陵泉, 內庭, 行間穴은 瀉法을, 下脘, 大橫, 足三里穴은 平補平瀉法

을 응용한다. 陽陵泉을 瀉法으로 施鍼하는 도면(그림 80).

- **推拿取穴** : 下脘, 大橫, 陽陵泉, 足三里, 內庭, 行間, 幽門, 章門, 期門, 梁門, 肝兪, 胃兪穴.
- **施術方法** : ①點三脘開四門法 : 환자는 仰臥位이고 시술자는 환자의 오른쪽에 서 있는다. 오른손의 食指, 中指, 無名指로 上脘, 中脘, 下脘穴에 點按하고, 왼손의 拇指, 食指, 中指, 無名指로 幽門, 章門, 期門, 梁門 등의 穴에에 點按하는데, 點按시에 손가락 끝을 가볍게 대다가 점차로 힘을 주면서, 잠시 멈추다가 다시 서서히 시술하며 반복적으로 6분동안 點按한다.

②點按法 : 陽陵泉, 足三里, 內庭穴 각혈에 2분씩 시술한다.

③一指禪推法 : 肝兪부터 大腸兪까지 6분 동안 시술한다.

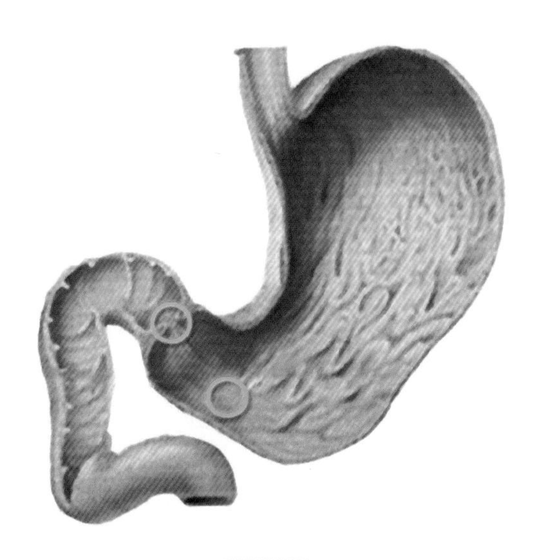

그림 78

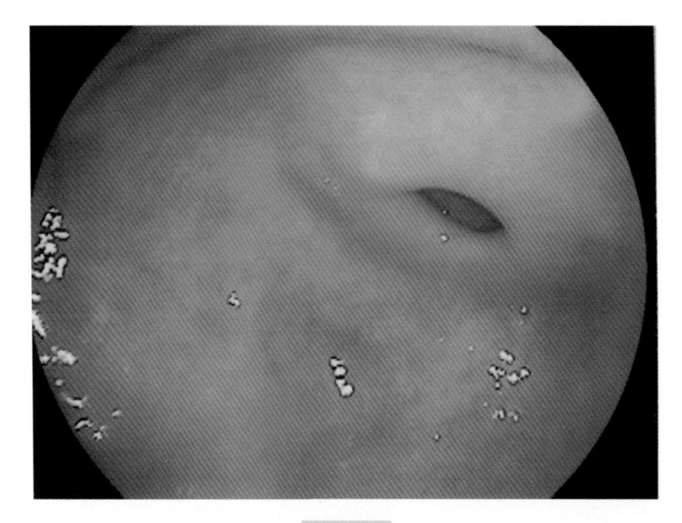

그림 79

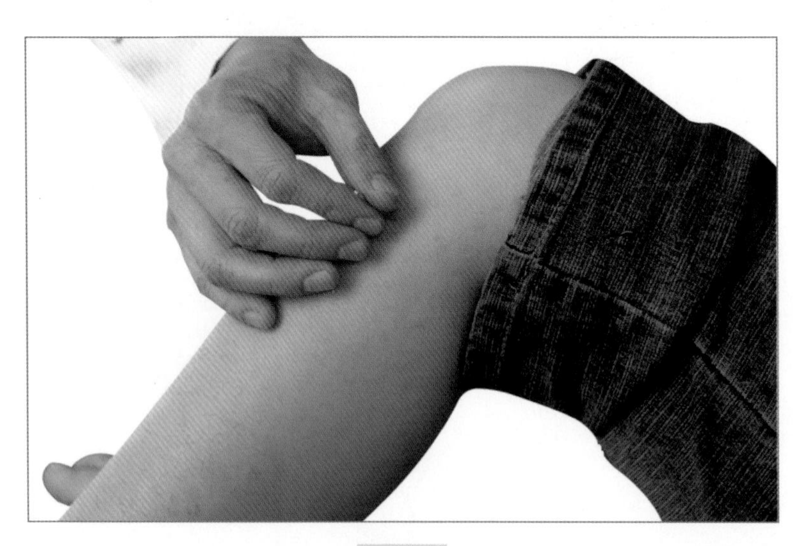

그림 80

濕熱內蘊

- 症狀 : 胃脘痞悶, 嘈雜灼熱, 口乾口苦, 納呆惡心.
- 舌像 : 舌苔黃膩, 舌質赤(그림 81), 脈滑數.

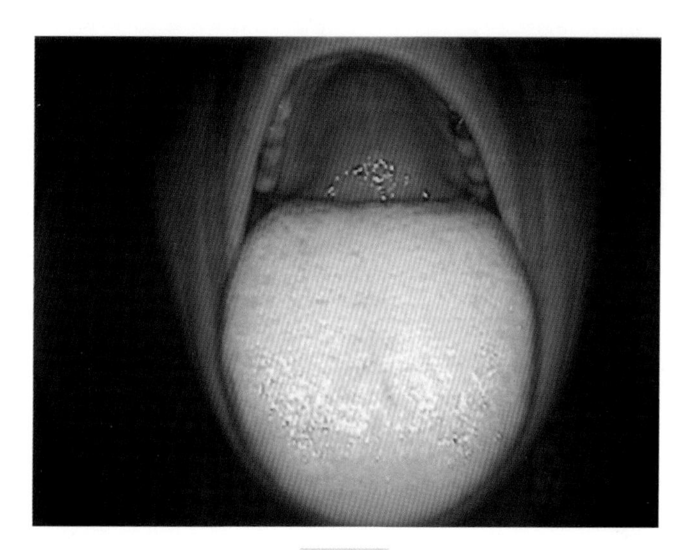

그림 81

- 胃粘膜像 : 위내시경이 위두부에 들어가서 대만측을 촬영하였다(그림 82). 위두대만측의 점막은 얇고 황백색이며 망상소혈관의 노출이 현저하게 보인다(그림 83).

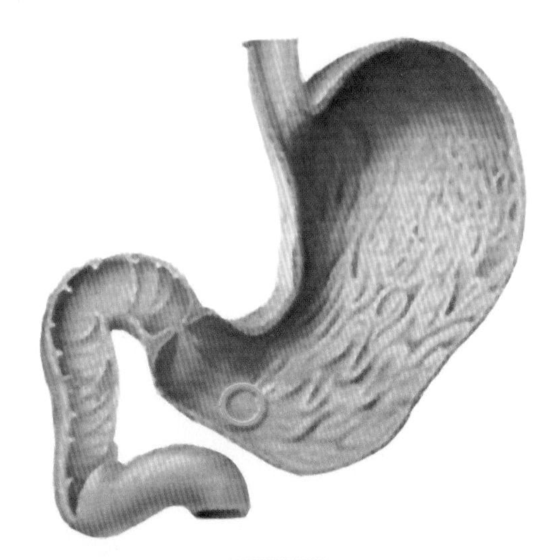

그림 82

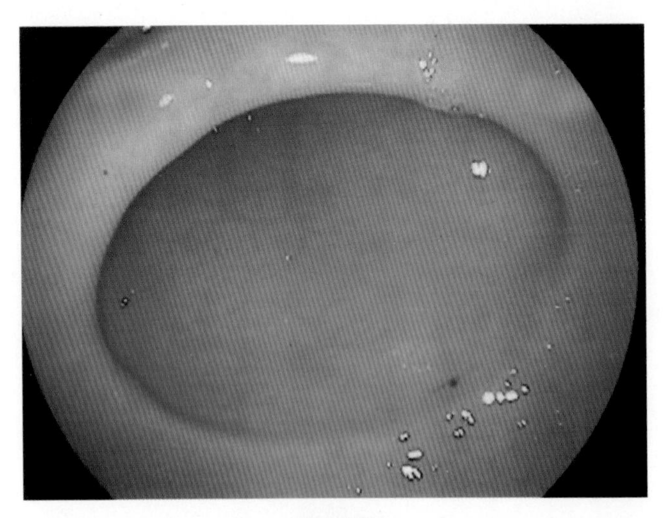

그림 83

- **治法** : 清熱化濕, 行氣除痞.
- **藥物** : 黃連, 梔子, 枳實, 厚朴, 清半夏, 白豆蔻, 佛手, 橘紅, 公英.
- **針灸取穴** : 中脘, 曲池, 豊隆, 內庭, 陰陵泉, 太白.
- **施鍼方法** : 行鍼得氣후 曲池, 內庭, 太白穴은 瀉法을, 中脘, 豊隆, 陰陵泉穴은 平補平瀉의 先瀉後補法을 응용한다.
- **推拿取穴** : 針灸取穴과 同一.
- **施術方法** : ①腹部掌運法 : 환자는 仰臥位이고 시술자는 환자의 오른쪽에 서 있는다. 오른손을 동그랗게 말아 손바닥과 任脈을 수직방향으로 되게하여 下脘, 建里穴 위치에 놓고, 食指, 中指, 無名指, 小指의 指面과 大 小魚際를 복부에 접촉한다. 호흡을 평정하고 천천히 가볍게 아래로 누른 후 손목관절의 屈伸운동으로 손바닥의 着力이 腹部와 활모양이 되도록 하여 推動하는데, 手指의 着力으로 접착하면서 복부의 우측으로 향했다 다시 돌아오는 운동을 반복 시술한다. 매분마다 15~20번, 6~8분 동안 지속적으로 시술한다.

②點按法 : 中脘, 曲池, 豊隆, 內庭, 陰陵泉, 太白穴 각혈에 2분씩 시술한다. 豊隆穴을 點按하는 도면(그림 84).

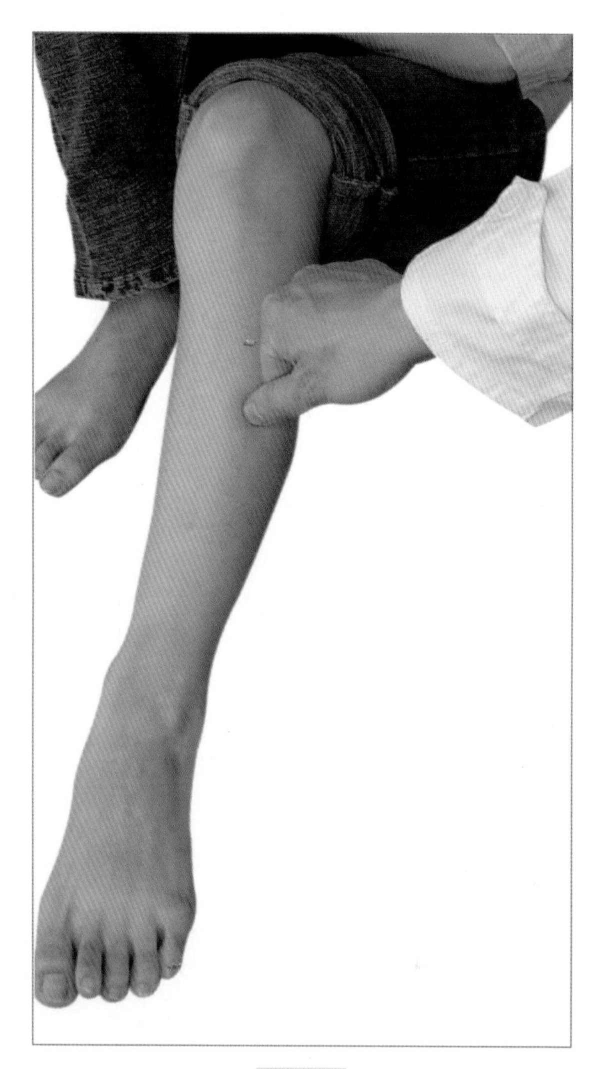

그림 84

痰熱挾瘀

- **症狀** : 胃脘痞悶, 隱隱作痛, 口乾口苦, 納呆食少.
- **舌像** : 舌苔黃膩, 舌質紫暗(그림 85), 脈滑數.

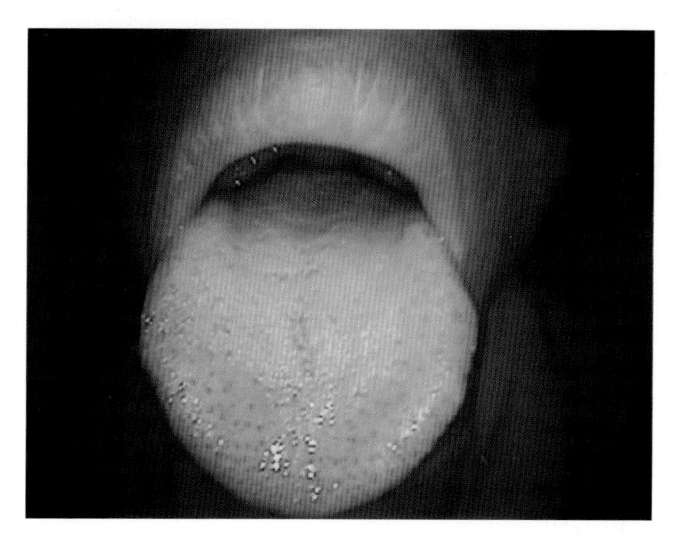

그림 85

- **胃粘膜像** : 위내시경이 위두부에 들어가서 유문공과 대만측을 촬영하였다(그림 86). 위두대만측의 점막은 얇고 斑片狀의 회황색과 点狀의 홍색반편이 교차되었으며 망상소혈관의 노출이 현저하게 보인다(그림 87).
- **治法** : 淸熱化痰, 祛瘀除痞.
- **藥物** : 黃連, 淸半夏, 枳實, 橘紅, 厚朴, 當歸, 延胡索, 三七粉, 梔子, 竹茹.
- **針灸取穴** : 中脘, 曲池, 豊隆, 內庭, 陰陵泉, 膈兪, 胃兪.
- **施鍼方法** : 曲池, 內庭穴은 瀉法을, 中脘, 豊隆, 陰陵泉, 膈兪, 胃兪穴은 平補平

瀉의 先瀉後補法을 응용한다. 胃兪穴에 瀉法을 시행하는 도면(그림 88).

• **推拿取穴** : 針灸取穴과 同一.

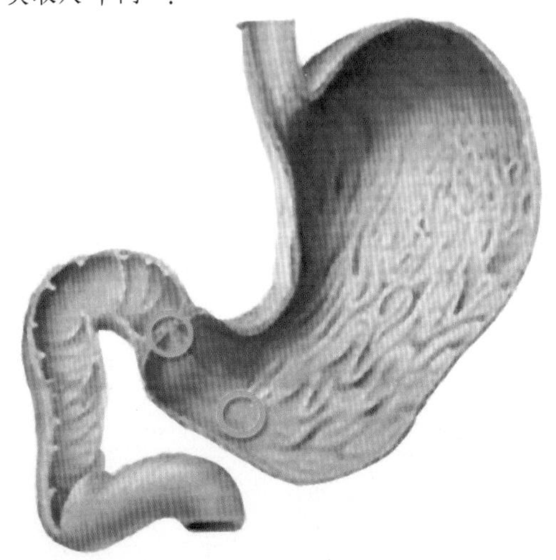

그림 86

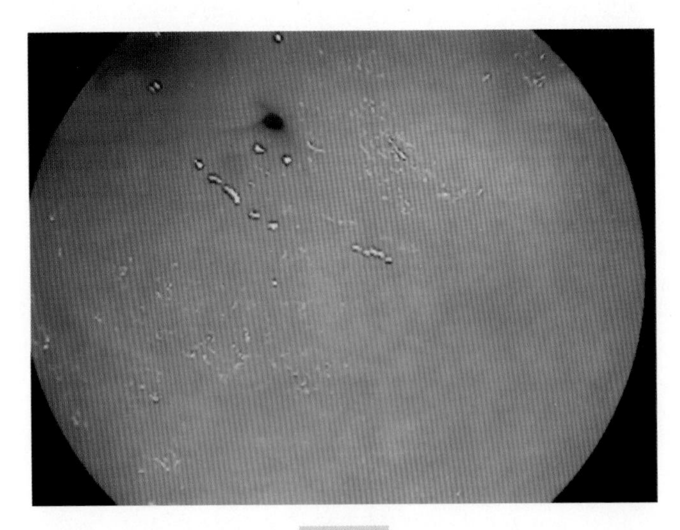

그림 87

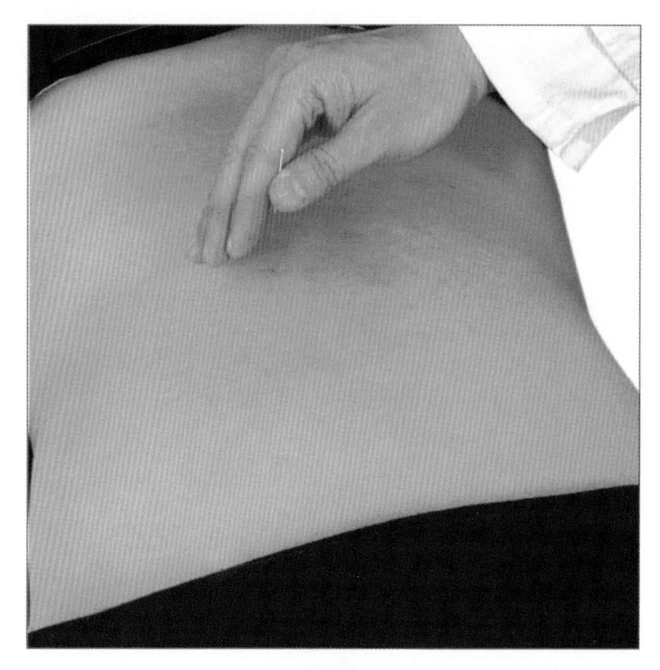

그림 88

• **施術方法:** ①腹部掌運法 : 환자는 仰臥位이고 시술자는 환자의 오른쪽에 서 있는다. 오른손을 동그랗게 말아 손바닥과 任脈을 수직방향으로 되게 하여 下脘, 建里穴 위치에 놓고, 食指, 中指, 無名指, 小指의 指面과 大 小魚際를 복부에 접촉한다. 호흡을 평정하고 천천히 가볍게 아래로 누른 후 손목관절의 屈伸운동으로 손바닥의 着力이 腹部와 활모양이 되도록 하여 推動하는데, 手指의 着力으로 접착하면서 복부의 우측으로 향했다 다시 돌아오는 운동을 반복 시술한다. 매분마다 15~20번, 6~8분 동안 지속적으로 시술한다.

②點按法 : 中脘, 曲池, 豊隆, 內庭, 陰陵泉, 膈兪, 胃兪穴 각혈에 2분씩 시술한다.

寒熱互結

• **症狀** : 胃脘痞塞, 納呆食少, 惡心欲吐, 腸鳴便稀.

• **舌像** : 舌苔膩微黃, 舌質赤(그림 89), 脈滑數.

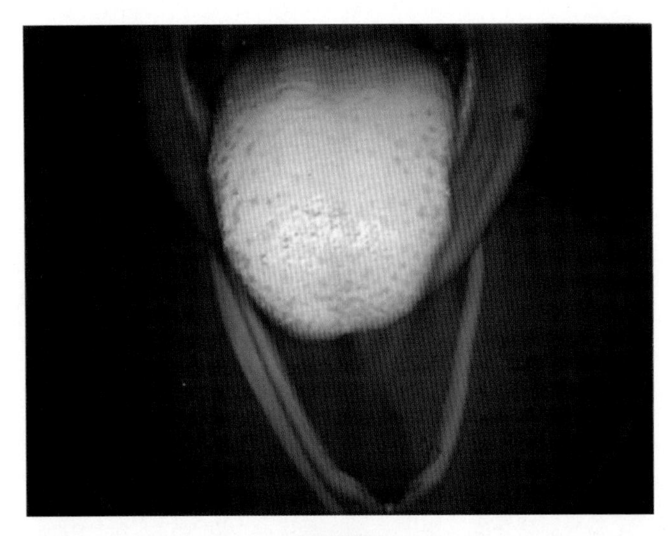

그림 89

• **胃粘膜像** : 위내시경이 위두부에 들어가서 유문공과 전후벽을 촬영하였다(그림 90). 유문공은 크게 열려 있고, 위두전후벽의 점막은 얇고 황백색이며 망상소혈관의 노출이 현저하게 보인다(그림 91).

• **治法** : 寒熱平調, 散結除痞.

• **藥物** : 清半夏, 黃連, 乾薑, 黨蔘, 枳實, 紫蘇梗, 佛手, 吳茱萸.

• **針灸取穴** : 中脘, 梁門, 大橫, 足三里, 內庭, 脾兪, 胃兪.

• **施鍼方法** : 中脘, 梁門, 足三里穴은 平補平瀉法을, 大橫, 內庭穴은 瀉法을, 脾兪,

胃兪穴은 補法에 灸法을 加하여 응용한다.

- **推拿取穴** : 針灸取穴과 同一.
- **施術方法** : ①腹部單掌團摩法 : 上脘, 梁門, 腹哀, 腹結, 大橫穴에 매분마다 20~30번, 그리고 6분 동안 지속적으로 시술한다.

②腹部斜摩法 : 환자는 仰臥位이고 시술자는 환자의 오른쪽에 서 있는다. 두 손바닥을 좌우계륵쪽의 上腹部에 놓고, 太乙, 神闕, 天樞, 四滿穴을 거쳐 關元穴까지 반복으로 시술한다. 매분마다 20~30번, 6분 동안 시술하며 복부에 열이 날 정도로 시술한다. 太乙, 四滿穴에 斜摩을 시술하는 도면(그림 92).

③點按法 : 中脘, 梁門, 大橫, 曲池, 足三里, 內庭穴 각혈에 2분씩 시술한다.

④一指禪推法 : 脾兪, 胃兪부터 大腸兪까지 6분 동안 시술한다.

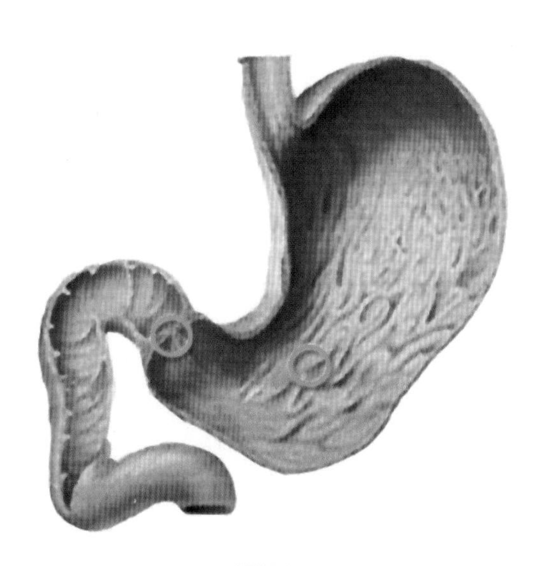

그림 90

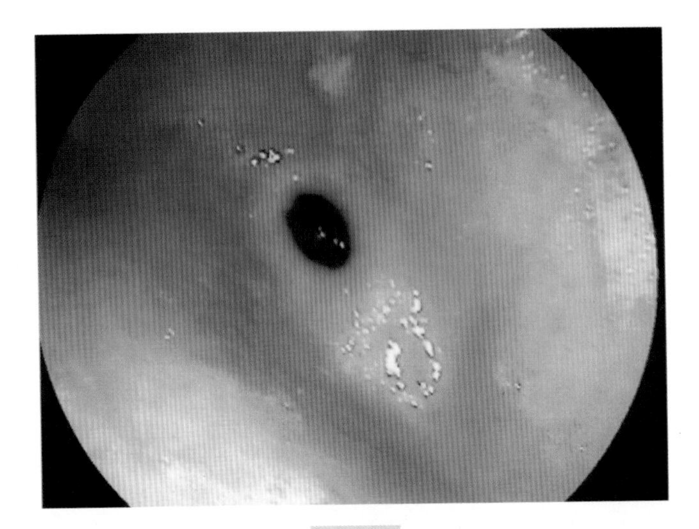

그림 91

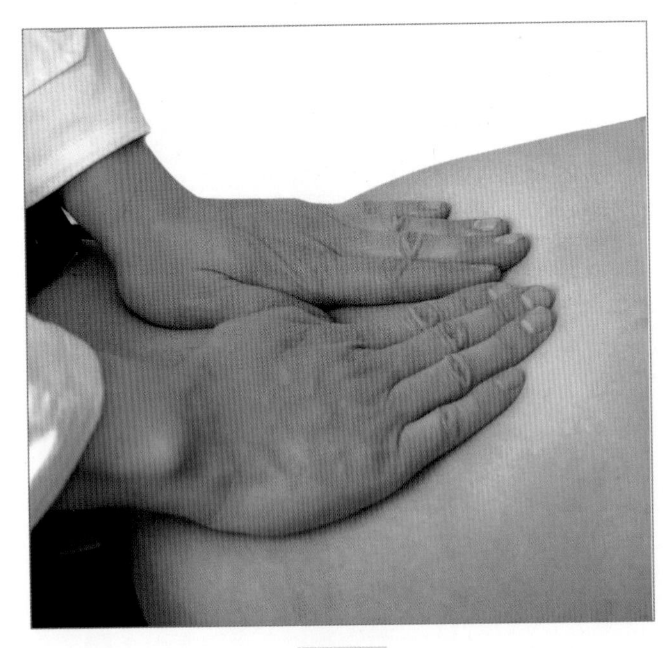

그림 92

瘀血阻絡

- **症狀**：胃脘痞滿, 隱隱作痛, 痛有定處, 入夜尤甚.
- **舌像**：舌苔薄黃, 舌質紫暗(그림 93), 脈細數.

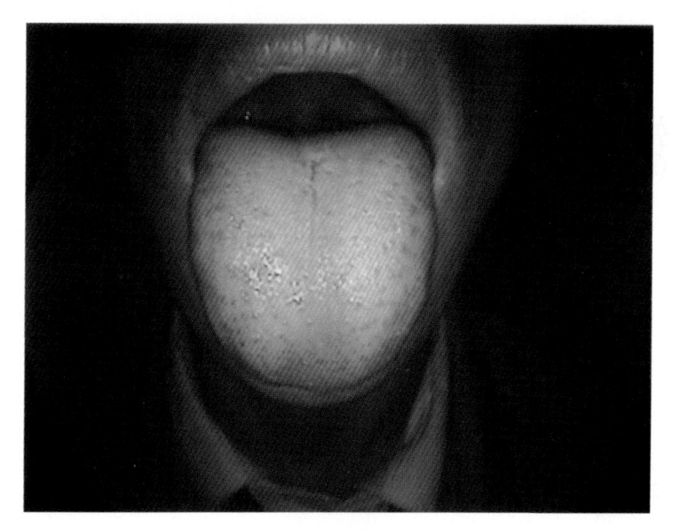

그림 93

- **胃粘膜像**：위내시경이 위두부에 들어가서 유문공과 대만전벽을 촬영하였다(그림 94). 유문공은 크게 열려 있고, 위두대만전벽의 점막은 얇고 斑片狀의 회황색과 点狀의 홍색반편이 교차되었으며 망상소혈관의 노출이 현저하게 보인다(그림 95).
- **治法**：行氣活血, 通絡止痛.
- **藥物**：檀香, 枳殼, 厚朴, 木香, 當歸, 丹蔘, 延胡索, 三七粉, 赤芍.
- **針灸取穴**：下脘, 建里, 天樞, 陷谷, 太白, 肝兪, 胃兪, 胃倉.

- **施鍼方法** ：行鍼得氣후 平補平瀉의 先瀉後補法을, 胃倉穴 시침시에는 胃兪穴 방향으로 내측으로 斜透한다.
- **推拿取穴** ：針灸取穴과 同一.

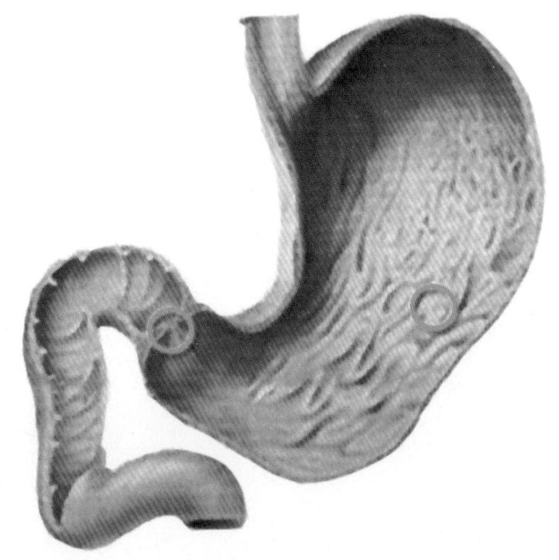

그림 94

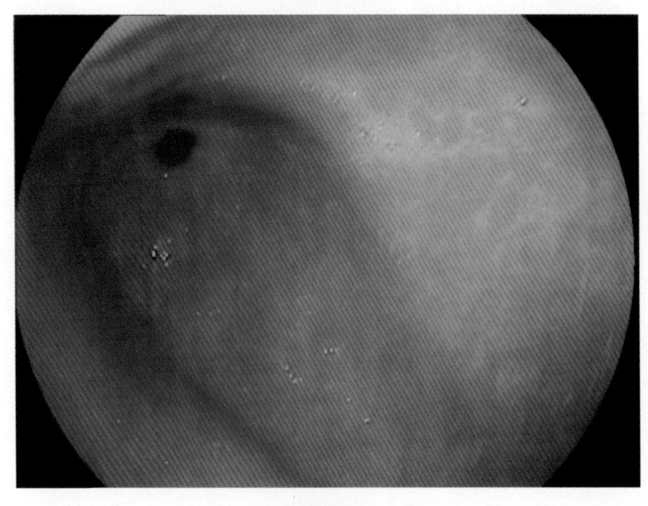

그림 95

• **施術方法** : ①腹部單掌團摩法 : 上脘, 中脘, 建里, 梁門, 腹結, 大横, 天樞穴에 매분마다 20~30번, 6분동안 지속적으로 시술한다.

②腹部抖動拿法 : 환자는 仰臥位이고 시술자는 환자의 오른쪽에 서 있는다. 양손의 엄지손가락으로 나머지 네 손가락을 상대로 집게모양으로 하여, 동시에 한쪽의 足陽明胃經의 梁門부터 天樞까지 피부와 피하조직을 집어 들어내며 상하로 가볍게 8~10번 抖動한다.

③點按法 : 下脘, 建里, 天樞, 陷谷, 太白穴 각혈에 2분씩 시술한다. 陷谷穴을 點按하는 도면(그림 96).

④一指禪推法 : 肝兪부터 胃兪까지 응용하는데, 시작할 때에는 手法이 가볍고 부드럽게 고르게 하면서 단단하게 누르고 천천히 이동하면서 점차 힘을 가한다. 매분마다 120~160번, 6분 동안 지속적으로 시술한다.

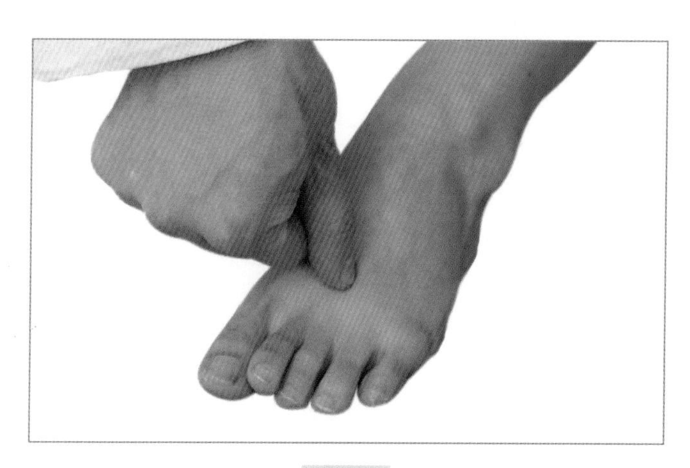

그림 96

脾胃虛弱

- **症狀**：胃脘痞悶, 納呆食少, 身倦乏力, 少氣懶言.
- **舌像**：舌苔薄白, 舌質淡(그림 97), 脈沉弱.

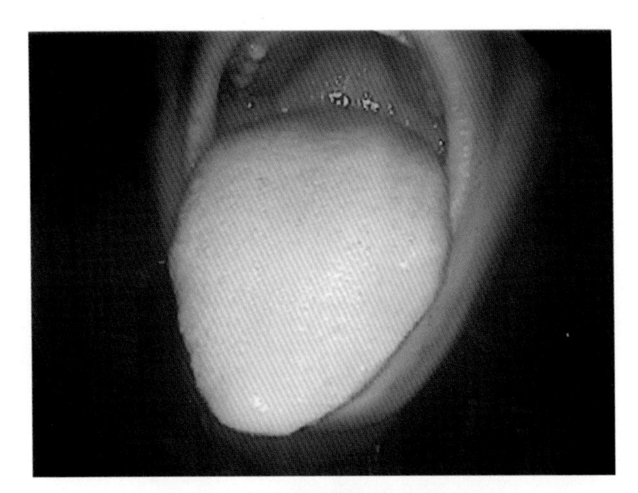

그림 97

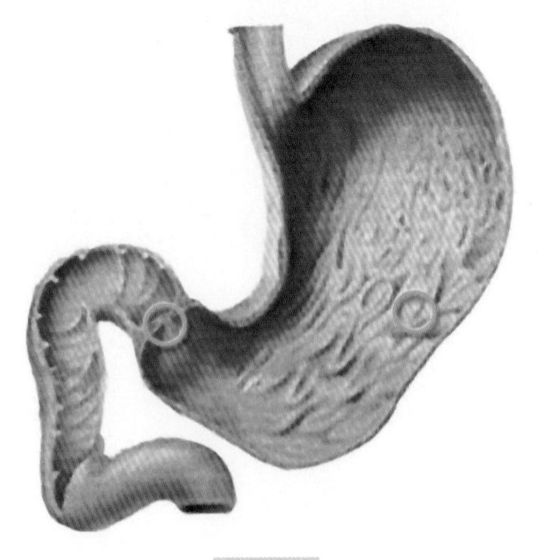

그림 98

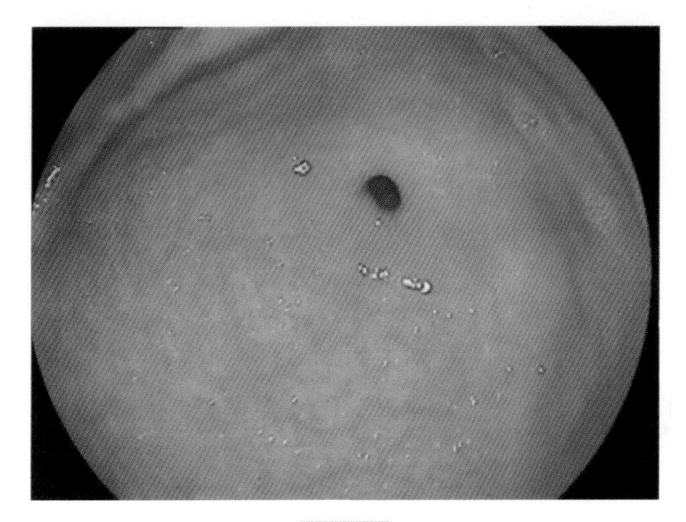

그림 99

- **胃粘膜像** : 위내시경이 위두부에 들어가서 유문공과 대만측을 촬영하였다(그림 98). 유문공이 크게 열려 있고, 위두대만측의 점막은 얇고 회백색이며 망상소혈관의 노출이 현저하게 보인다(그림 99).
- **治法** : 益氣健脾, 升淸降濁.
- **藥物** : 人蔘, 黃芪, 白朮, 炙甘草, 當歸, 陳皮, 枳殼, 厚朴, 佛手, 白豆蔻.
- **針灸取穴** : 中脘, 建里, 章門, 天樞, 足三里, 脾兪, 胃兪.
- **施鍼方法** : 行鍼得氣후 補法을 응용하며, 足三里, 建里, 脾兪, 胃兪穴에 灸法을 추가한다.
- **推拿取穴** : 針灸取穴과 同一.
- **施術方法** : ①腹部單掌揉法 : 中脘, 建里穴에 매분마다 30번, 8분 동안 지속적으로 시술한다.

②腹部按法 : 환자는 仰臥位이고 시술자는 환자의 오른쪽에 서 있는다. 시술자는 두 손을 겹쳐서 손바닥을 中脘과 建里穴 부위에 놓고 환자의 흡기와 동시에

척추 쪽으로 서서히 힘을 주기 시작한다. 환자가 견딜 수 있는 한도까지 깊게 힘을 주는데 환자가 편하고 저항력이 없을 때 잠시 멈추다가 환자의 호기에 따라 손에 힘을 서서히 뺀다. 이런 방법으로 반복적으로 6분간 지속적으로 시술한다.
③按揉法 : 中脘, 建里, 章門, 天樞, 足三里穴 각혈에 2분씩 시술한다. 足三里穴을 按揉法으로 시술하는 도면(그림 100).
④ 一指禪推法 : 脾兪와 胃兪穴을 6분간 시술한다.

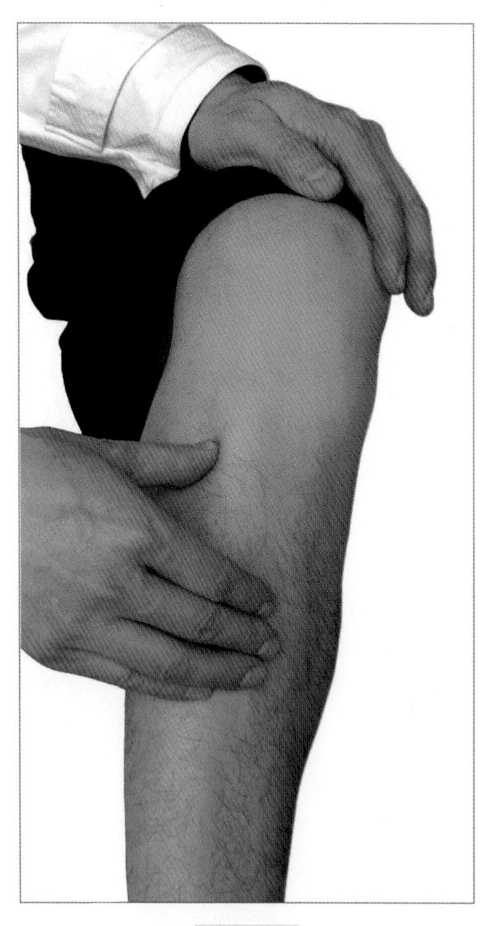

그림 100

12. 胃粘膜 脫垂

濕濁內阻

- **症狀** : 胃脘隱痛, 連及後背, 餐後發作, 伴有惡心, 嘔吐.
- **舌像** : 舌苔白滑, 舌質淡赤(그림 101), 脈滑.

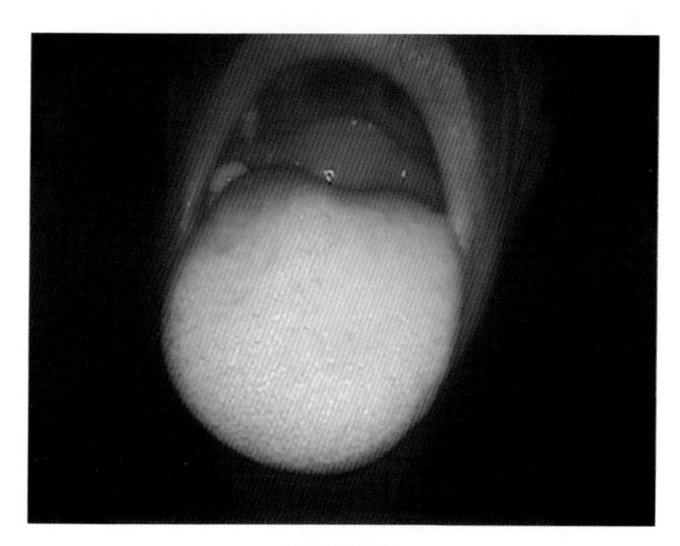

그림 101

- **胃粘膜像** : 위내시경이 위두부에 들어가서 유문공과 후벽을 촬영하였다(그림 102). 위두가 수축하여 주위가 꽃이 나부끼는 모양으로 나타내며, 유문전정부 점막에는 浮腫과 糜爛이 보인다(그림 103). 胃腸의 X-ray에서는 십이지장구가 낙하산 모양으로 보인다.

- **治法**：燥濕運脾, 和胃止痛.
- **藥物**：蒼朮, 白豆蔻, 薏苡仁, 淸半夏, 白芍, 烏賊骨, 雲苓, 甘草.
- **針灸取穴**：下脘, 梁門, 天樞, 豊隆, 陰陵泉, 公孫, 脾兪, 胃兪.

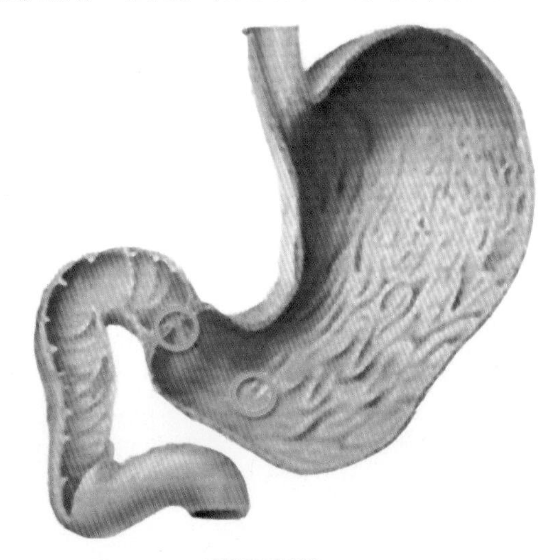

그림 102

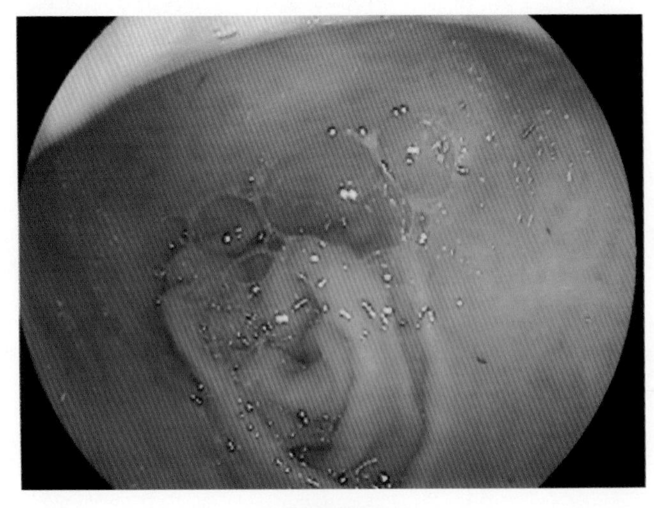

그림 103

- **施鍼方法** : 行鍼得氣후 平補平瀉法을 응용한다.
- **推拿取穴** : 針灸取穴과 同一.
- **施術方法** : ①腹部單掌團摩法 : 上脘, 中脘, 建里, 梁門, 腹結, 大橫, 天樞穴에 매분마다 20~30번, 6분동안 시술한다. 大橫穴에 團摩法을 시술하는 도면(그림 104).

  ②腹部單掌揉法 : 中脘, 建里穴을 매분마다 30번, 8분간 지속적으로 시술한다.

  ③點按法 : 梁門, 天樞, 豊隆, 陰陵泉, 公孫穴 각혈에 2분씩 시술한다.

  ④一指禪推法 : 脾兪부터 大腸兪까지 6분간 시술한다.

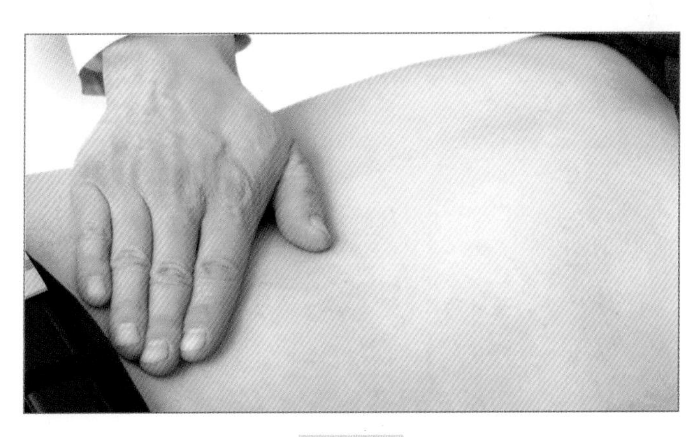

그림 104

13. 胃下垂

中氣虧虛

- **症狀** : 胃脘滿悶, 餐後加重, 食少納呆, 少氣懶言.
- **舌像** : 舌苔薄白, 舌質淡赤(그림 105), 脈沉弱.

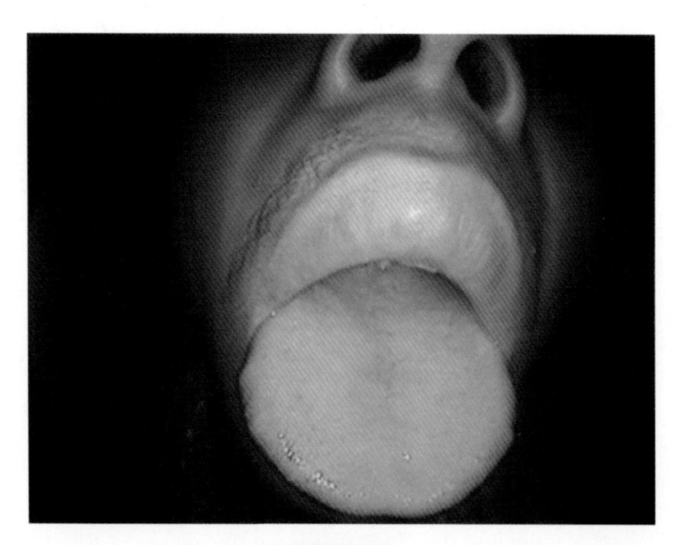

그림 105

- **胃粘膜像** : 위내시경이 위두부에 들어가서 유문공과 대만을 촬영하였다(그림 106). 유문공은 닫혀 있고 주위에 별의 방사상(放射狀) 모양을 나타내며, 위두점막은 홍색과 백색이 교차되어 있으나 주로 홍색이다(그림 107). 胃腸의 X-ray에

서는 위소만의 활모양선의 최저점 위치에서 髂嵴의 線(腸骨의 稜)에 이은 선이 4.5㎝이하이다.

- **治法** : 補中益氣, 升陽和胃.
- **藥物** : 黃芪, 人蔘, 白朮, 當歸, 柴胡, 陳皮, 枳殼, 木香.

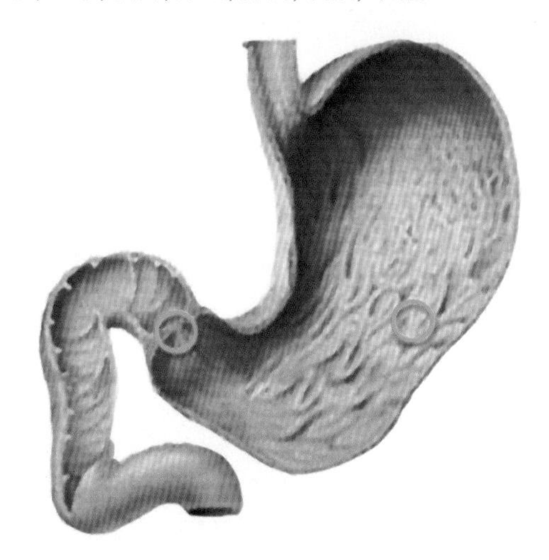

그림 106

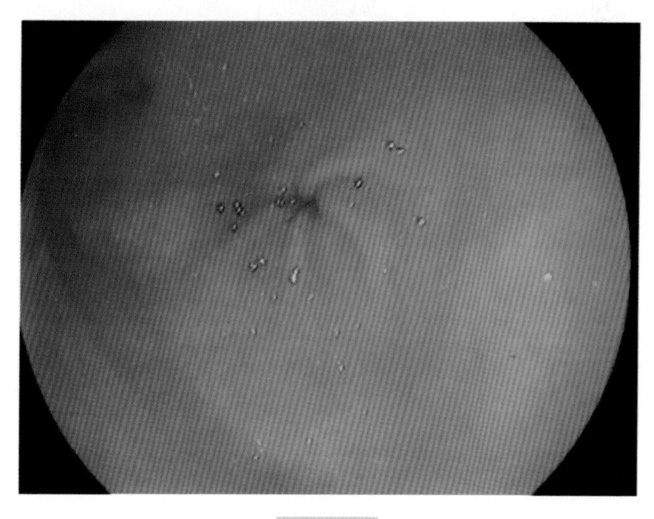

그림 107

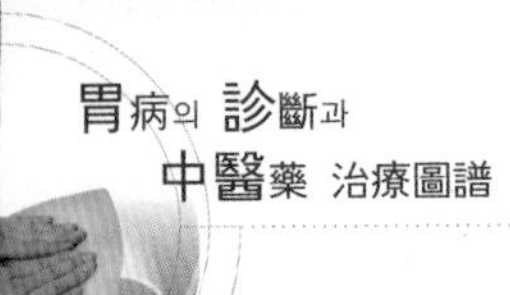

- **針灸取穴** : 巨闕, 梁門, 中脘, 關元, 足三里, 脾兪, 胃兪.
- **施鍼方法** : ①長針刺巨闕法 : 7寸 장침으로 腹中線 臍上 6寸 巨闕穴을 취하여 針尖이 巨闕穴의 下方으로 進鍼하고 針體가 皮下를 따라 左側 肓兪穴을 向하도록 透刺하는데, 針尖이 肓兪穴에 다다른 후에는 환자가 脹滿을 느낀다. 針柄을 피부와 45° 각도로 천천히 당길 때 시침자는 손에 重力感이 있고, 환자는 국부에 당기는 감이 있을 때 得氣 상태이다. 得氣후 반복적으로 20분동안 提鍼한다.
  ②梁門, 中脘, 關元, 足三里, 脾兪, 胃兪穴에는 補法에 灸法을 加하여 응용한다. 中脘穴을 補法하는 도면(그림 108).

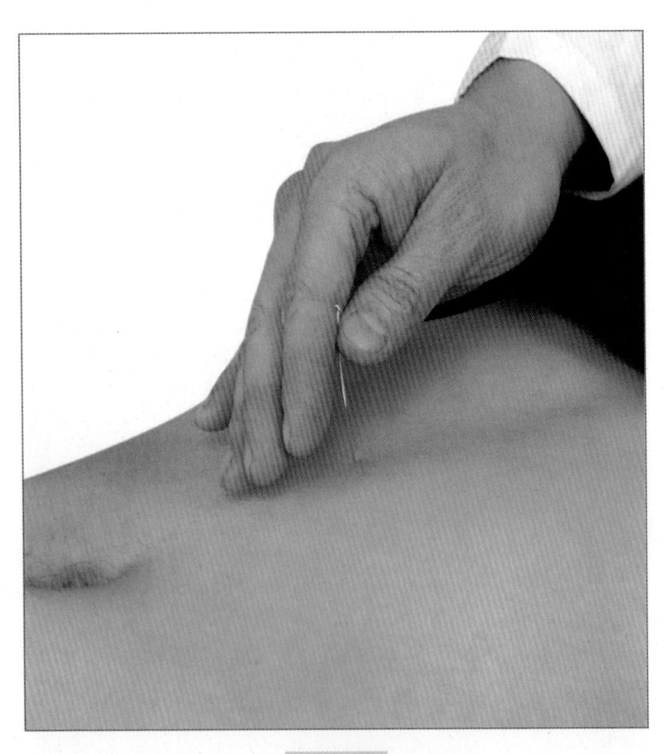

그림 108

- **推拿取穴** : 針灸取穴과 同一.
- **施術方法** : ①揉拿腹部法 : 환자는 仰臥位이고 양다리를 구부리고 양무릎을 붙인다. 시술자는 양손으로 中脘, 建里, 氣海, 關元穴을 2분동안 揉拿하며, 매분마다 10~15번정도 시술한다.

②單掌推顫法 : 시술자는 어깨를 내리고 팔관절을 똑바로 하여 손목은 부드럽게 하면서 오른손 손바닥을 關元穴의 아래와 위로 平推와 振顫法을 응용한다. 振顫의 빈도는 매분마다 150~200번, 2분 동안 지속적으로 시술한다.

③逆時鍼摩腹法 : 시술자는 환자의 우측에 서서 오른손 손바닥으로 中脘, 建里, 下脘穴 부위에 시계반대방향으로 摩法을 응용하며 매분마다 20~30번, 6분 동안 지속적으로 시술한다.

④點按法 : 關元, 足三里, 脾兪, 胃兪穴 각혈에 2분간 시술한다.

14. 胃息肉

氣虛瘀阻

• **症狀** : 胃脘疼痛, 餐後發作, 惡心嘔吐.
• **舌像** : 舌苔薄白, 舌質淡紫, 舌體胖有齒痕(그림 109), 脈大虛弱.

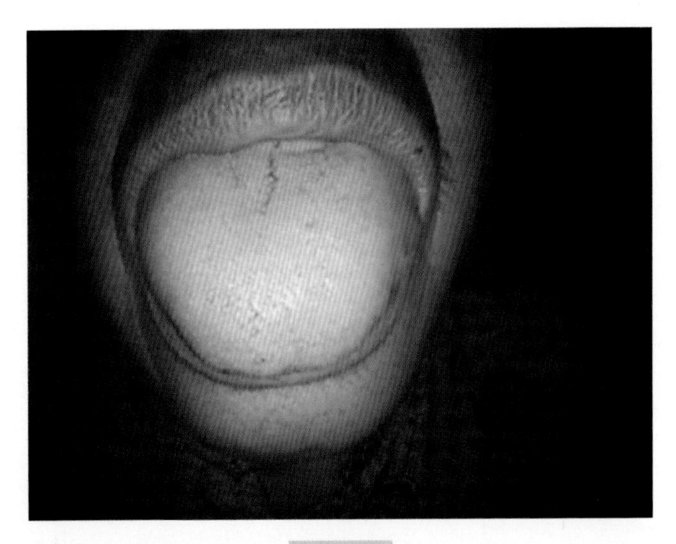

그림 109

• **胃粘膜像** : 위내시경이 위두부에 들어가서 유문과 전정부를 촬영하였다(그림 110). 유문공은 일정하지 않게 크게 열려 있고, 그 후벽에 하나의 폴립이 보인다. 이는 山田 I 형으로 직경은 0.5㎝이며, 꼭지나 가시는 없고 표면은 光滑하며

암홍색이다. 유문부의 점막은 光滑하며 색깔은 연하고 위의 연동은 약하다(그림 111).

- **治法** : 益氣活血, 祛瘀通絡.
- **藥物** : 黃芪, 當歸, 赤芍, 黨蔘, 香附, 延胡索, 三七粉, 陳皮.

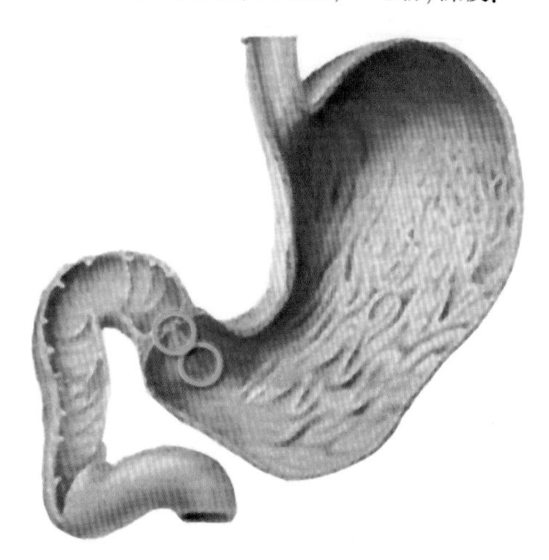

그림 110

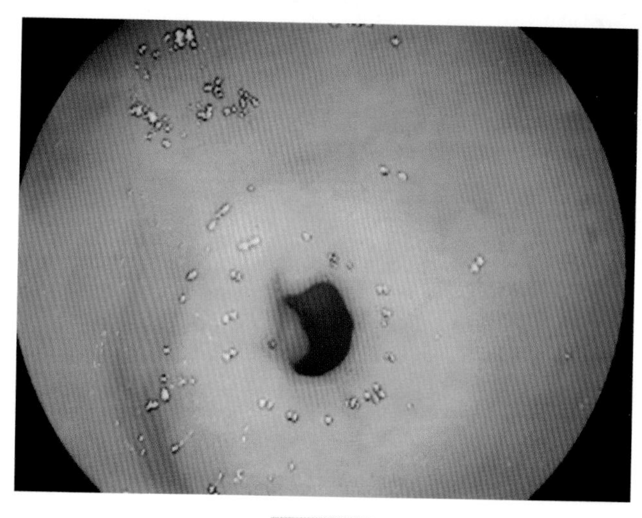

그림 111

- **針灸取穴** : 中脘, 天樞, 氣海, 足三里, 太衝, 膈兪, 脾兪, 胃兪.
- **施鍼方法** : 行鍼得氣후 天樞, 太衝, 膈兪穴은 平補平瀉法을, 中脘, 氣海, 足三里, 脾兪, 胃兪穴은 補法에 灸法을 加하여 응용한다.
- **推拿取穴** : 針灸取穴과 同一.
- **施術方法** : ①腹部單掌團摩法 : 中脘, 建里, 下脘, 天樞穴에부터 團摩하여 점차 배전체로 확대하고 다시 中脘, 建里, 下脘, 天樞穴 部位로 돌아오며 반복적으로 진행한다. 매분마다 20~30번, 8분간 지속적으로 시술한다.

  ②腹部單掌揉法 : 시계방향으로 中脘, 建里穴에 揉法을 응용하며 매분마다 30번, 8분간 시술한다.

  ③點按法 : 中脘, 天樞, 氣海, 足三里, 太衝穴 각혈에 2분씩 시술한다.

  ④一指禪推法 : 膈兪, 胃兪, 脾兪穴에 6분간 시술한다. 膈兪穴에 推法을 시술하는 도면(그림 112).

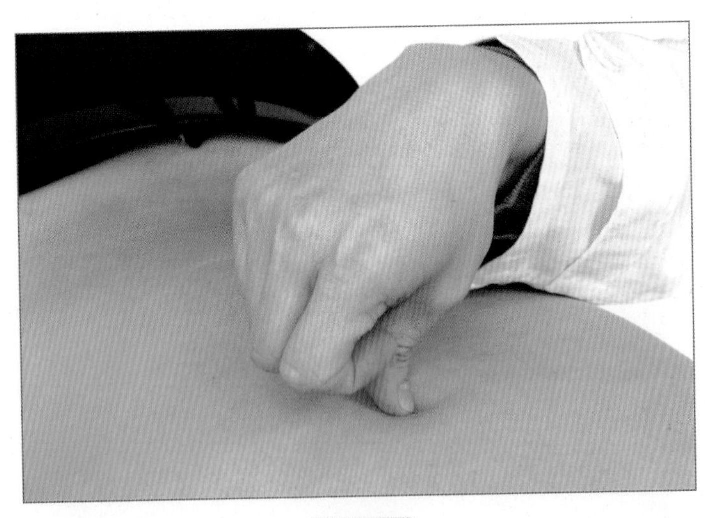

그림 112

痰濁挾瘀

- **症狀** : 胃脘疼痛, 食慾不振, 惡心嘔吐.
- **舌像** : 舌苔白厚滑, 舌質紫暗(그림 113), 脈緩澁.

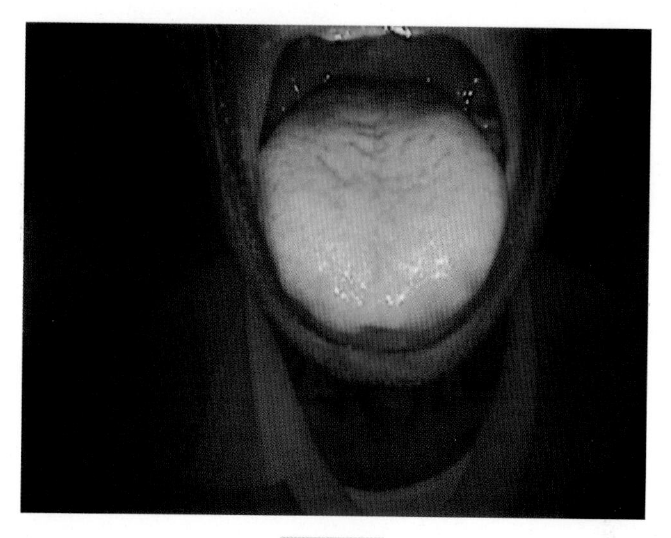

그림 113

- **胃粘膜像** : 위내시경이 위두부에 들어가서 대만전벽를 촬영하였다(그림 114). 위두점막은 부종 및 충혈이 보이고, 대만과 가까운 전벽에는 2개의 유두상(乳頭狀) 폴립이 보인다. 이는 山田 II 형이며, 직경은 각각 1.5㎝×0.8㎝과 1.2㎝×0.5㎝이고 꼭지나 가시가 없으며 표면은 光滑하고 암홍색이다(그림 115).
- **治法** : 理氣化痰, 活血化瘀.
- **藥物** : 淸半夏, 枳實, 橘紅, 雲苓, 延胡索, 三七粉, 赤芍, 白豆蔻, 薏苡仁.

• **針灸取穴** : 建里, 滑肉門, 內關, 豊隆, 太衝, 脾兪, 胃兪.
• **施鍼方法** : 豊隆, 太衝穴에는 瀉法을, 建里, 滑肉門, 內關, 脾兪, 胃兪穴에는 平補平瀉의 先瀉後補法을 응용한다.

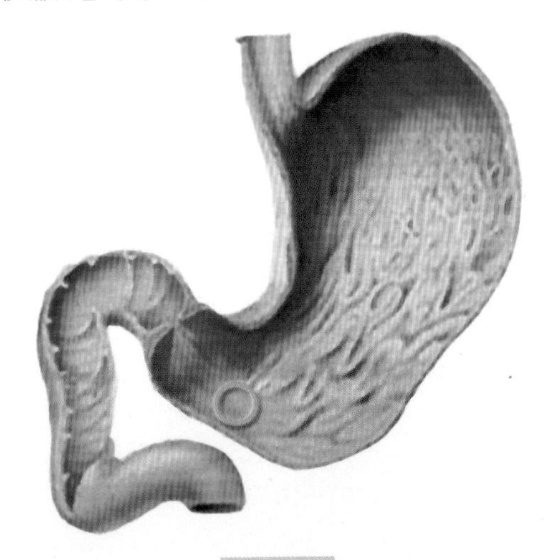

그림 114

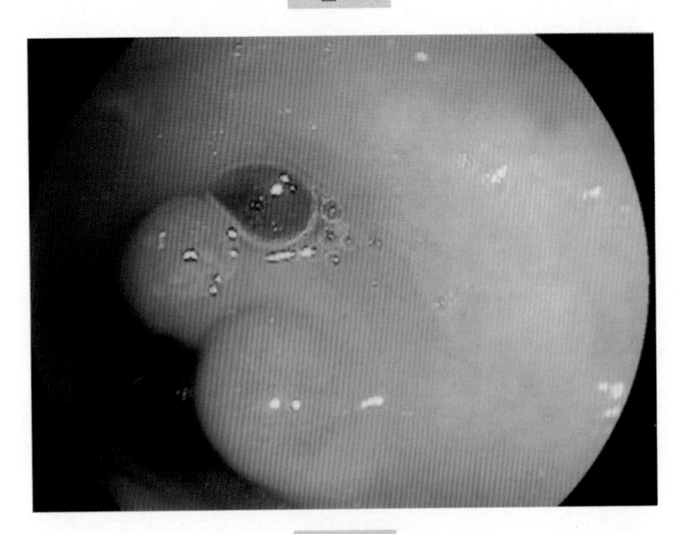

그림 115

• **推拿取穴** : 針灸取穴과 同一.

• **施術方法** : ①腹部單掌揉法 : 시계방향으로 中脘, 建里穴에 揉法을 응용하며, 매분마다 30번, 8분간 시술한다.

②點按法 : 建里, 滑肉門, 天樞, 內關, 豊隆, 太衝穴 각혈에 2분씩 시술한다. 滑肉門에 點按 하는 시술도면(그림 116).

③一指禪推法 : 膈兪, 肝兪, 脾兪, 胃兪, 三焦兪穴에 6분간 시술한다.

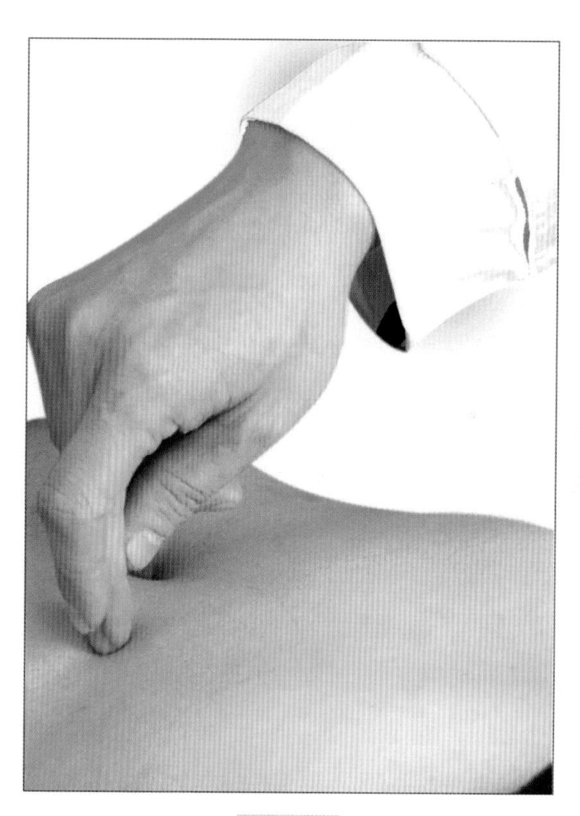

그림 116

15. 胃潰瘍

痰濁滯胃

- **症狀**：胃脘疼痛, 餐後明顯, 泛酸嘈雜, 惡心嘔吐.
- **舌像**：舌苔白厚膩, 舌質淡紫(그림 117), 脈滑.

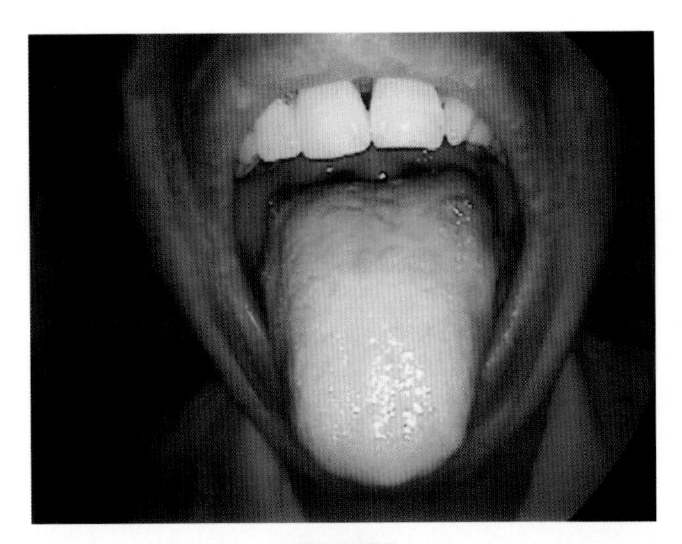

그림 117

- **胃粘膜像** ：위내시경이 위체하부에 들어가서 위각과 위두대만을 촬영하였다 (그림 118). 위각중앙에는 삼각형 모양의 궤양이 보이고 그 표면에는 지저분하고 더러운 백태가 덮여 있으며, 기저는 평탄하고 위저측 가장자리 부분에는 출

혈반이 있고 그 주변은 돌출되었으며 태가 가득 차있다. 이것은 胃角切迹潰瘍의 A_1기이다(그림 119).

- **治法** : 理氣化痰, 斂瘍止痛.
- **藥物** : 橘紅, 淸半夏, 枳殼, 竹茹, 烏賊骨, 白芨, 浙貝, 延胡索, 白豆蔻, 三七粉.

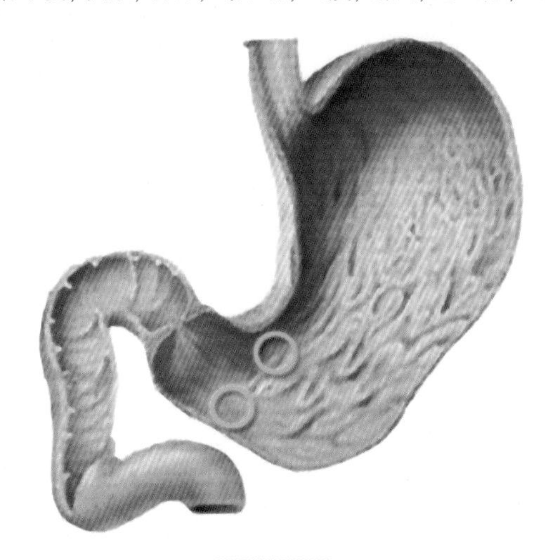

그림 118

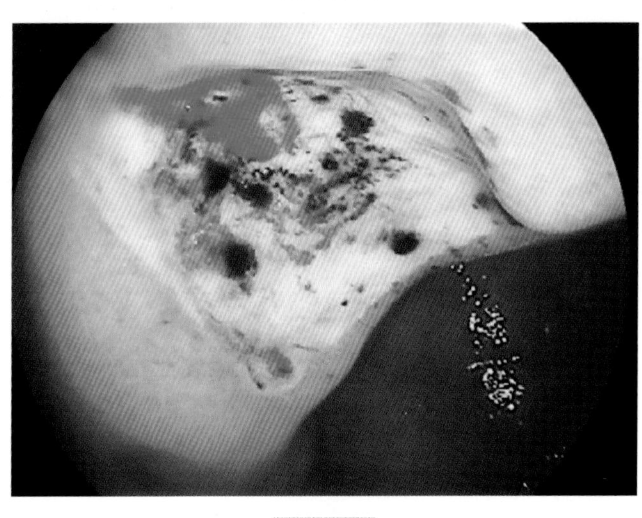

그림 119

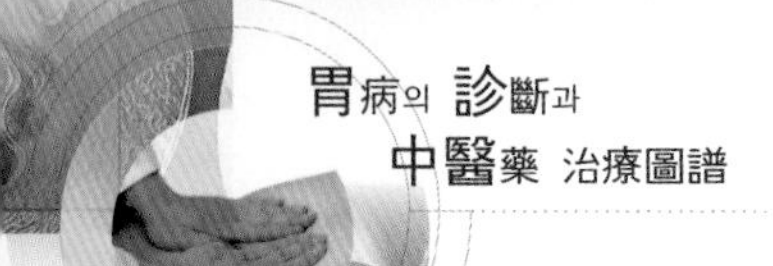

• **針灸取穴** : 中脘, 章門, 內關, 足三里, 豊隆, 公孫, 太衝.

• **施鍼方法** : 內關, 豊隆, 公孫, 太衝穴은 瀉法을, 中脘, 章門, 足三里穴은 平補平瀉法을 응용한다. 內關에 瀉法을 시술하는 도면(그림 120).

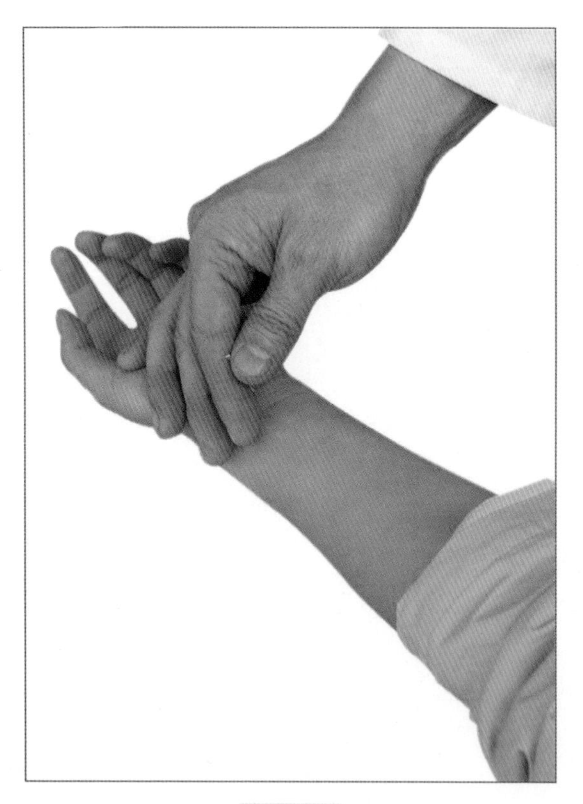

그림 120

• **推拿取穴** : 針灸取穴과 同一.

• **施術方法** : ①腹部單掌圓摩法 : 中脘, 建里, 下脘, 天樞穴에부터 시작하여 점차

확대하여 복부 전체를 시술하며, 다시 中脘, 建里, 下脘 部位로 되돌아와 반복적으로 시술한다. 매분마다 20~30번, 6분간 시술한다.

②腹部單掌揉法 : 시계방향으로 中脘, 建里穴에 揉法을 응용하며, 매분마다 30번, 6분간 시술한다.

③點按法 : 中脘, 建里, 章門, 內關, 足三里, 豊隆, 公孫穴, 각혈에 2분씩 시술한다.

④一指禪推法 : 肝兪, 脾兪, 胃兪, 三焦兪穴에 6분간 시술한다.

濕熱蘊結

- **症狀** : 胃脘疼痛, 泛酸嘈雜, 口乾口苦, 惡心欲吐.
- **舌像** : 舌苔黃厚膩, 舌質淡紫(그림 121), 脈滑數.

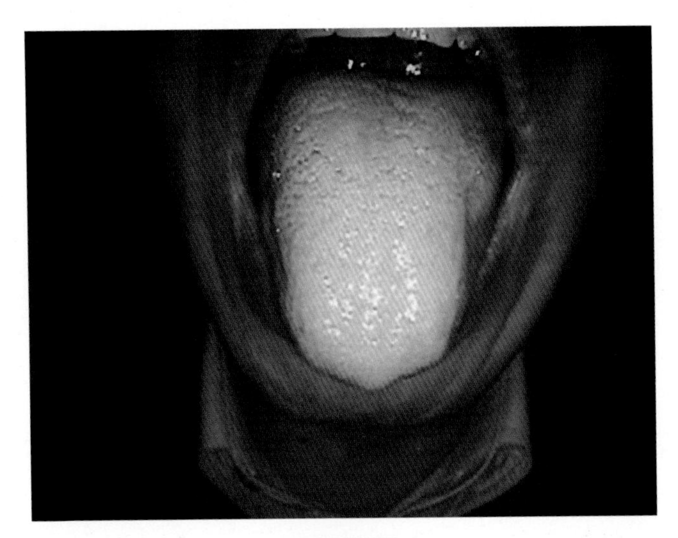

그림 121

- **胃粘膜像** : 위내시경이 위체하부의 대만측에 들어가서 시야를 조절하여 胃角切迹에서 촬영하였다(그림 122). 시야중앙에 활모양의 위벽은 위각절적이며 그 위에는 위저부이고 밑에는 위두부이다. 위각절적의 중앙에는 條狀의 凹陷이 보이고 그 위에는 엷은 황태가 덮여 있으며 약간의 오래된 출혈반이 보이며, 주변에는 재생상피와 주름이 집중되어 있는데, 이것은 위각절적궤양의 H_2기이다. 위두부 점막은 충혈되어 깨끗하지 못하고 비교적 많은 부착성 점액반이 있다(그림 123).

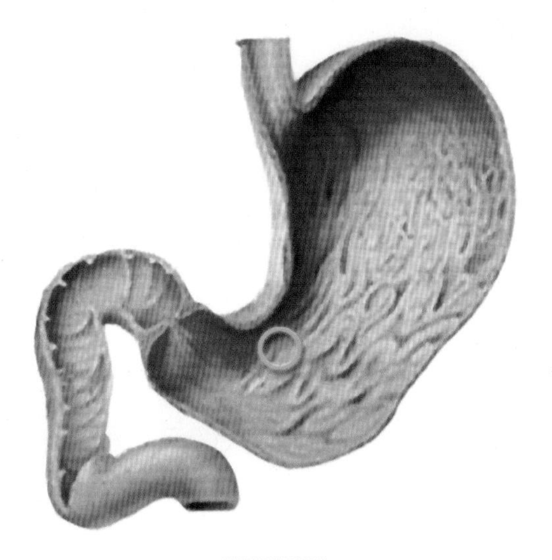

그림 122

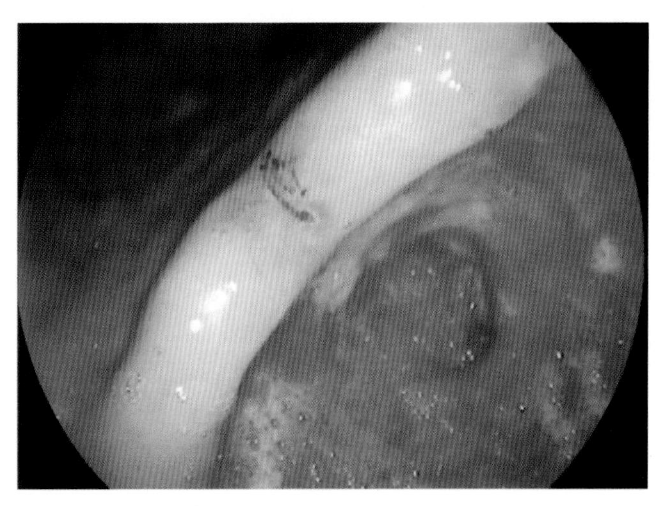

그림 123

• **治法** : 清熱化濕, 理氣和胃.
• **藥物** : 黃連, 竹茹, 梔子, 枳殼, 清半夏, 橘紅, 烏賊骨, 雲苓, 白芨, 三七粉.
• **針灸取穴** : 中脘, 內庭, 足三里, 內關, 公孫, 陰陵泉.
• **施鍼方法** : 內庭, 公孫穴에는 瀉法을, 中脘, 足三里, 內關, 陰陵泉穴에는 平補平瀉法을 응용한다. 陰陵泉穴을 平補平瀉法을 시술하는 도면(그림 124).

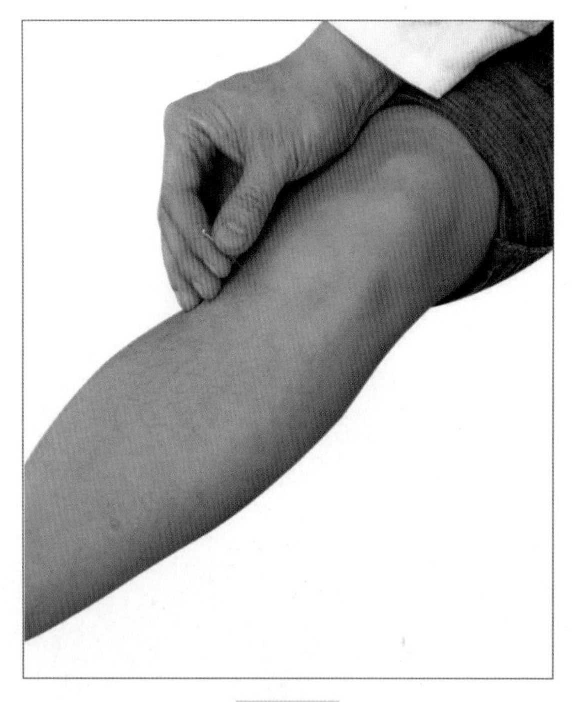

그림 124

• **推拿取穴** : 針灸取穴과 同一.
• **施術方法** : ①腹部單掌團摩法 : 中脘, 建里, 下脘, 天樞穴에부터 시작하여 점차

확대하여 복부 전체를 시술하며, 다시 中脘, 建里, 下脘 部位로 돌아와 반복적으로 진행한다. 매분마다 20~30번, 6분간 시술한다.

②腹部掌運法 : 환자는 仰臥位이고 시술자는 환자의 오른쪽에 서 있는다. 오른손을 동그랗게 말아 손바닥과 任脈을 수직방향으로 되게 하여 下脘, 建里穴 위치에 놓고, 食指, 中指, 無名指, 小指의 指面과 大 小魚際를 복부에 접촉한다. 호흡을 평정하고 천천히 가볍게 아래로 누른 후 손목관절의 屈伸운동으로 손바닥의 着力이 腹部와 활모양이 되도록 하여 推動하는데, 手指의 着力으로 접착하면서 복부의 우측으로 향했다 다시 돌아오는 운동을 반복 시술한다. 매분마다 15~20번, 6~8분 동안 지속적으로 시술한다.

③按揉法 : 中脘, 內庭, 足三里, 內關, 公孫, 陰陵泉穴 각혈에 2분씩 시술한다.

④一指禪推法 : 肝兪부터 大腸兪까지 8분간 시술한다.

脾胃虛弱

- 症狀 : 胃脘隱痛, 食少納減, 身倦乏力, 少氣懶言.
- 舌像 : 舌苔薄白, 舌質淡赤, 舌體瘦小(그림 125), 脈沉弱.

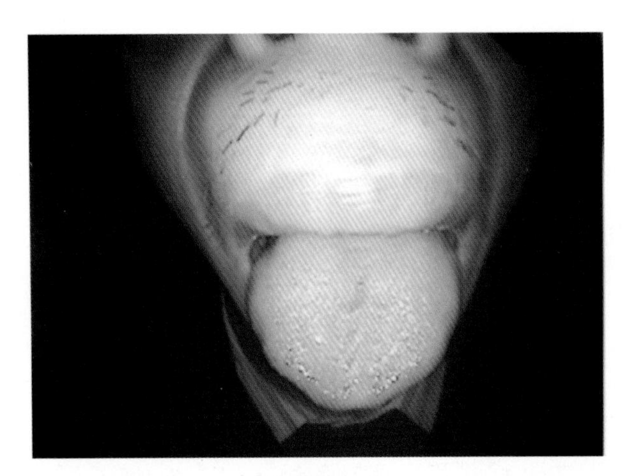

그림 125

- 胃粘膜像 : 위내시경이 위두부에 들어가서 시야를 조절하여 위각절적과 대만을 촬영하였다(그림 126). 위각절적표면의 중앙에는 타원형의 凹陷이 보이고 중심에는 작은 퇴색반들이 보이는데 백태와 구별하기 어렵다. 주변의 주름은 평활하게 凹陷 부위를 중심으로 집중되어 있고, 궤양을 중심으로 넓게 분포되어 있으며 하방에는 목책모양의 재생상피가 보인다. 이것은 위각절적 궤양의 S_1기이다(그림 127).

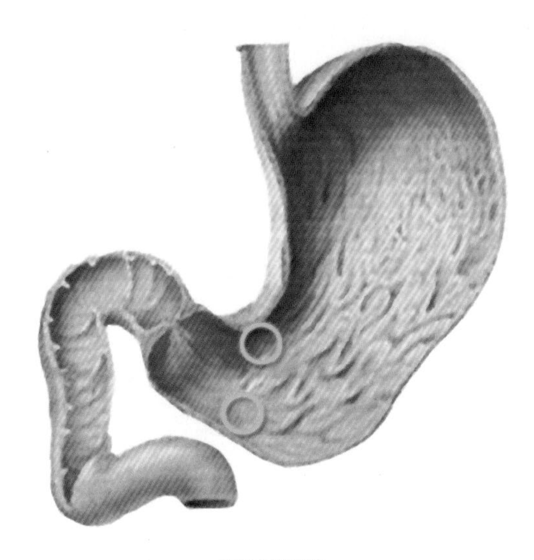

그림 126

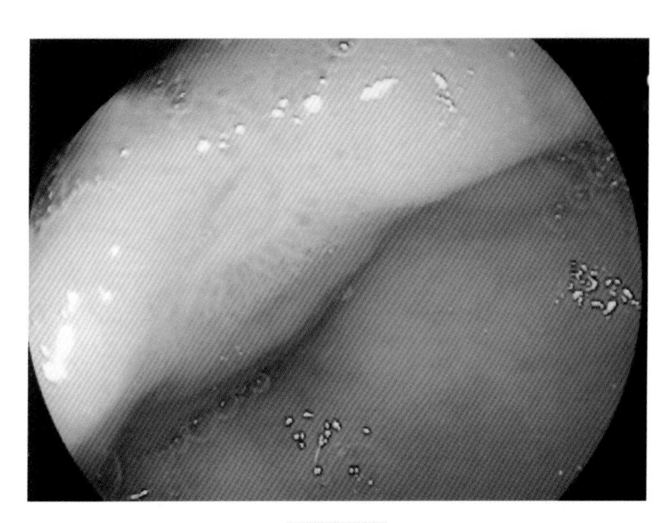

그림 127

- **治法** : 益氣健脾, 養血濡胃.
- **藥物** : 黃芩, 黨蔘, 白朮, 當歸, 薏苡仁, 白豆蔻, 烏賊骨, 焦三仙, 赤芍, 炙甘草.
- **針灸取穴** : 中脘, 建里, 氣海, 足三里, 脾兪, 胃兪.
- **施鍼方法** : 補法에 灸法을 加하여 응용한다. 氣海穴에 補法을 시술하는 도면 (그림 128).

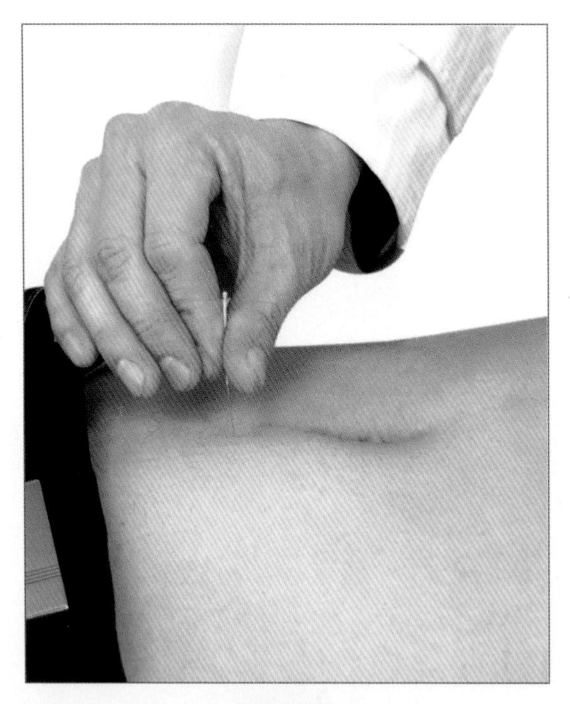

그림 128

- **推拿取穴** : 針灸取穴과 同一.
- **施術方法** : ①腹部單掌揉法 : 시계방향으로 中脘, 建里穴에 揉法을 응용하며 매 분마다 30번, 8분간 시술한다.

②腹部按法 : 환자는 仰臥位이고 시술자는 환자의 오른쪽에 서 있는다. 시술자는 두 손을 겹쳐서 손바닥을 中脘과 建里穴 부위에 놓고 환자의 흡기와 동시에 척추 쪽으로 서서히 힘을 주기 시작한다. 환자가 견딜 수 있는 한도까지 깊게 힘을 주는데 환자가 편하고 저항력이 없을 때 잠시 멈추다가 환자의 호기에 따라 손에 힘을 서서히 뺀다. 이런 방법으로 반복적으로 6분간 진행한다.

③按揉法 : 中脘, 建里, 氣海, 足三里穴 각혈에 2분간 시술한다.

④一指禪推法 : 脾兪부터 氣海兪까지 8분간 시술한다.

16. 胃癌

痰熱瘀阻

• **症狀** : 胃脘疼痛, 痛有定處, 食少消瘦, 口乾口苦.

• **舌像** : 舌苔薄黃膩, 舌有裂紋, 邊尖有瘀点(그림 129), 脈弦澁.

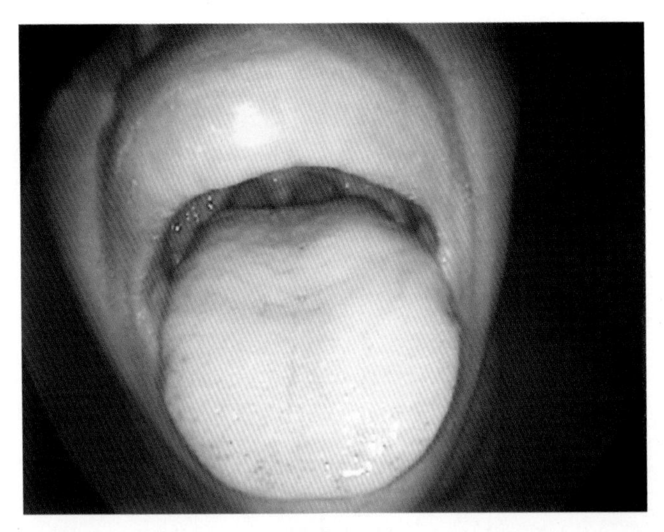

그림 129

• **胃粘膜像** : 위내시경이 위체의 상부에 들어가서 소만측의 전벽을 촬영하였다(그림 130). 위체상부의 소만측근의 후벽 점막이 거칠고, 미란 출혈 국소성 凹陷 白色이 보이며 경계가 깨끗하지 않다. 이것은 Ⅱc+Ⅲ형 早期胃癌이다(그림 131).

- **治法**：清熱化痰, 祛瘀通絡.
- **藥物**：黃連, 淸半夏, 枳殼, 梔子, 香附, 白花蛇舌草, 紫草, 三七粉, 延胡索.

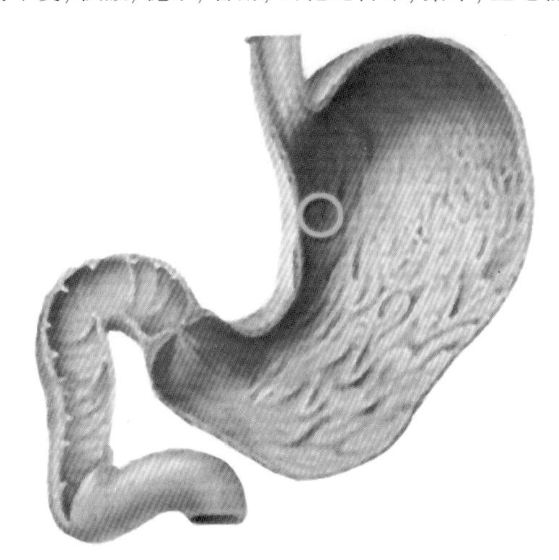

그림 130

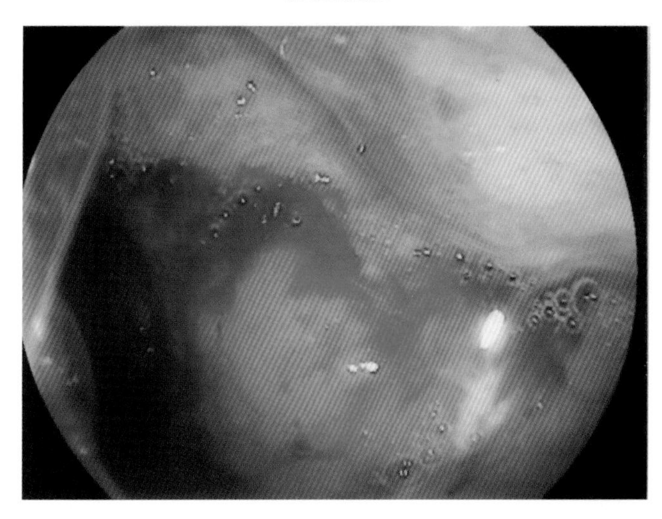

그림 131

- **針灸取穴** : 合谷, 曲池, 天樞, 內庭, 豊隆, 膈兪.
- **施鍼方法** : 行鍼得氣후 瀉法을 응용한다. 天樞穴에 瀉法을 시술하는 도면(그림 132)
- **推拿取穴** : 針灸取穴과 同一.
- **施術方法** : ①點按法 : 天樞, 期門, 曲池, 豊隆穴 각혈에 2분씩 시술한다.
  ②點按加推法 : 膈兪, 肝兪, 胃兪, 大腸兪를 8분간 시술한다.
  ③彈撥加提拿法 : 膈兪부터 大腸兪까지의 양측 膀胱經의 經筋을 매분마다 15~20회, 10분간 시술한다.
- **注意** : 이 질환은 胃脘部에 按揉法을 시술하는 것은 옳치 못하다. 특히 血證환자에게 복부의 시술은 금지한다.

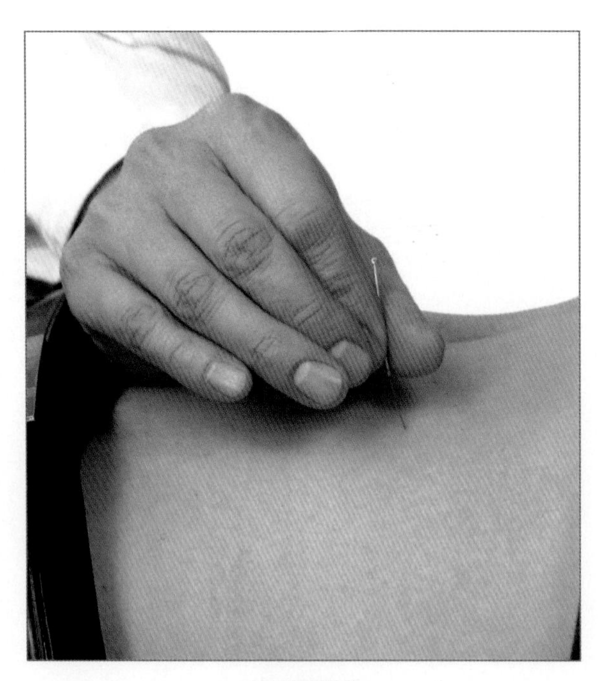

그림 132

毒熱內蘊

- **症狀**：胃脘灼痛, 連及后背, 進食不利, 口乾口苦.
- **舌像**：舌苔薄黃燥, 舌質赤有裂紋(그림 133), 脈弦數.

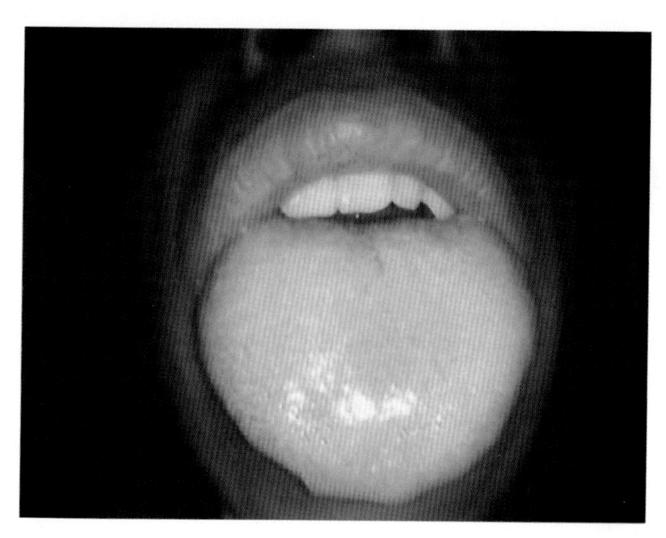

그림 133

- **胃粘膜像** ：위내시경이 위저부에 들어가서 위체상부의 소만측을 촬영하였다(그림 134). 위체상부 소만측의 전후벽에는 높고 큰 융기된 병변이 보이며, 점막표면은 거칠고 평탄하지 못하고 충혈과 다발성표면미란출혈이 보인다. 이것은 Borrmann I형 암이다(그림 135).
- **治法**：清熱解毒, 和胃止痛.
- **藥物**：白花蛇舌草, 半枝蓮, 土茯苓, 竹茹, 延胡索, 知母, 枳殼, 沙蔘, 天竺黃.
- **針灸取穴**：上脘, 中脘, 天樞, 合谷, 內庭, 胃兪, 公孫.

• **施鍼方法** : 天樞, 合谷, 內庭, 公孫穴은 瀉法을, 上脘, 中脘, 胃兪穴에는 平補平瀉法을 응용한다.

• **推拿取穴** : 天樞, 曲池, 合谷, 內庭, 公孫, 胃兪, 大腸兪, 阿是穴.

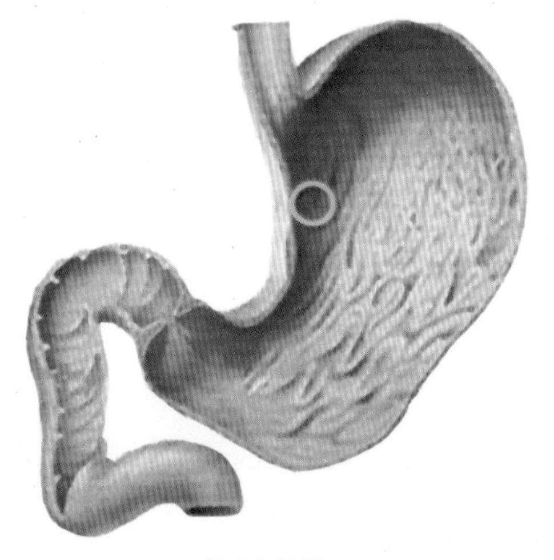

그림 134

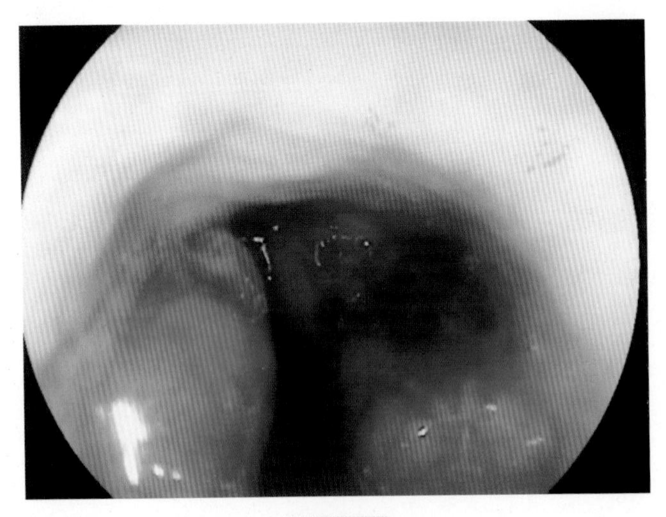

그림 135

• **施術方法** ：①按揉法：重手로 曲池, 合谷, 內庭, 公孫穴을 按揉하고, 中度手로 胃兪, 大腸兪, 阿是穴, 天樞穴을 按揉한다. 각혈에 2분씩 시술한다. 阿是穴에 按揉法 을 시술하는 도면(그림 136).

②彈撥加提拿法：양측 肝兪부터 大腸兪까지 膀胱經의 經筋을 매분마다 15~20회, 10분간 시술한다.

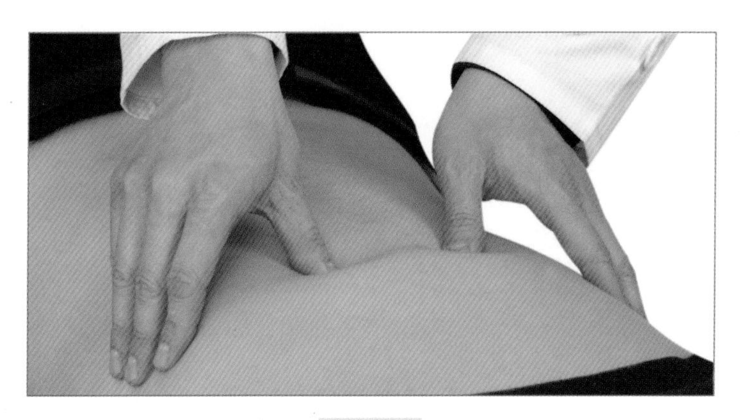

그림 136

痰濁瘀阻

- **症狀** : 胃脘疼痛, 食慾不振, 嘔吐痰涎, 腹脹便溏.
- **舌像** : 舌苔白滑膩, 舌質紫暗, 有裂紋(그림 137), 脈滑.
- **胃粘膜像** : 위내시경이 위두부에 들어가서 소만후벽를 촬영하였다(그림 138). 胃竇 소만 부근의 후두벽에 불규칙적인 거대한 궤양이 있고 주변은 제방모양의 隆起로 주위점막과의 명계가 뚜렷하다. 기저부는 凸凹되어 평탄하지 못하며 표면에는 회색의 더러운 태가 덮여 있다. 이것은 Borrmann II형 암이다(그림 139).
- **治法** : 燥濕化痰, 祛瘀活絡.
- **藥物** : 淸半夏, 橘紅, 枳殼, 薏苡仁, 竹茹, 白豆蔻, 三七粉, 延胡索, 佛手.
- **針灸取穴** : 上脘, 豊隆, 太衝, 膈兪, 脾兪, 胃兪.
- **施術方法** : 豊隆, 太衝穴은 瀉法을, 上脘, 膈兪, 脾兪, 胃兪穴은 平補平瀉의 先瀉後補法을 응용한다. 留鍼 30분, 10분마다 한번 行鍼한다. 脾兪穴에 平補平瀉法을 시술하는 도면(그림 140).
- **推拿取穴** : 滑肉門, 豊隆, 陰陵泉, 膈兪, 脾兪, 胃兪, 三焦兪, 背部阿是穴.
- **施術方法** : ①點按法 : 滑肉門, 豊隆, 陰陵泉穴에 6분 동안 시술한다.
  ②點按加一指禪推法 : 膈兪, 肝兪, 脾兪, 胃兪, 三焦兪 및 背部阿是穴을 點按에 一指禪推法을 加하여, 16분간 시술한다.

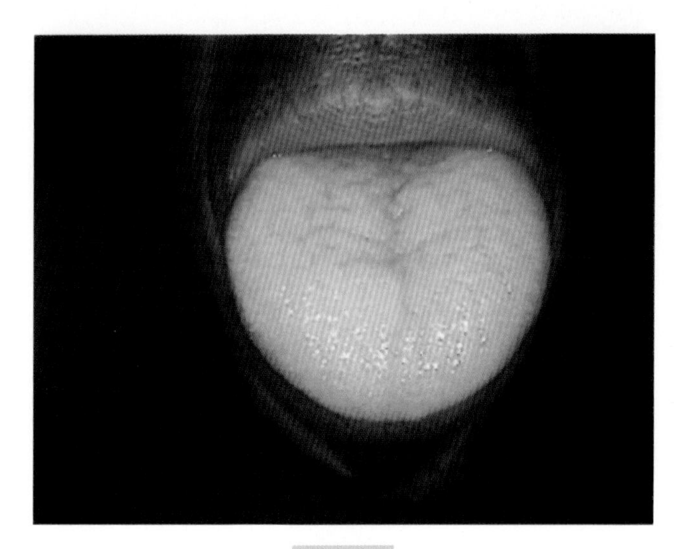

그림 137

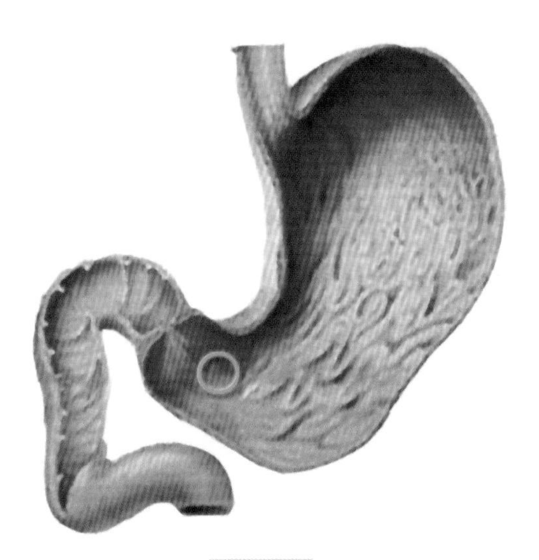

그림 138

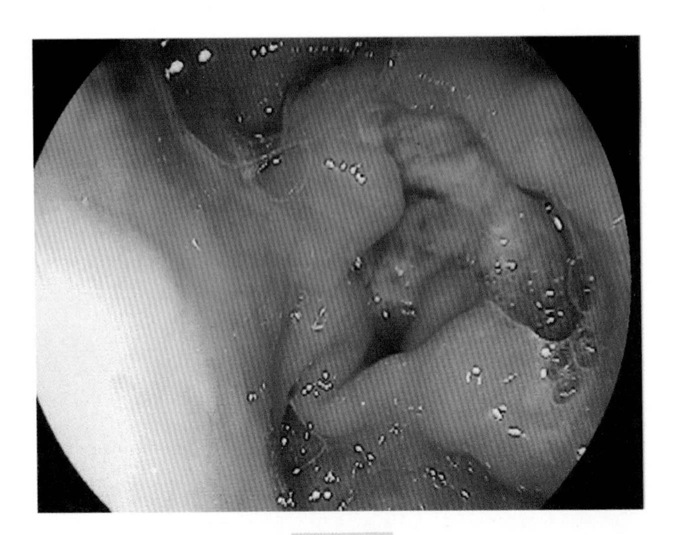

그림 139

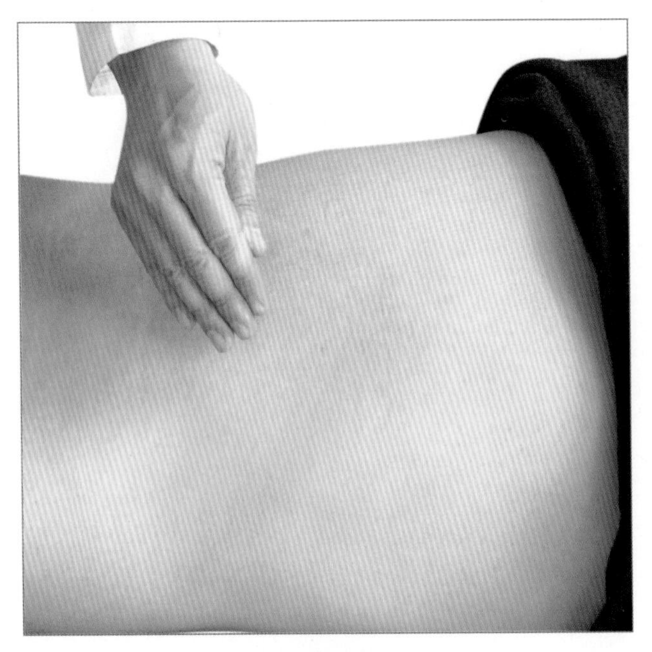

그림 140

17. 十二指腸球炎

胃火壅盛

- 症狀 : 胃脘飢餓樣疼痛, 空腹明顯, 泛酸嘈雜, 口乾口苦.
- 舌像 : 舌苔黃褐燥, 舌質赤(그림 141), 脈弦數.

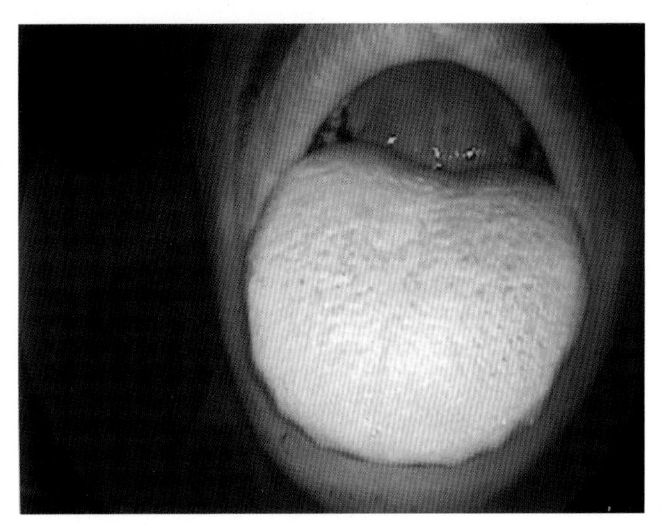

그림 141

- 胃粘膜像 : 위내시경이 십이지장에 들어가서 구부의 소만측을 촬영하였다(그림 142). 십이지장구 소만측의 점막에서는 반편상 충혈이 보이고 융모가 거칠고 크다(그림 143).
- 治法 : 清熱泄火, 和胃止痛.

- **藥物** : 黃連, 梔子, 竹茹, 公英, 吳茱萸, 烏賊骨, 段瓦楞子, 延胡索, 浙貝母.
- **針灸取穴** : 下脘, 合谷, 內關, 公孫, 足三里, 內庭.
- **施鍼方法** : 合谷, 公孫, 內庭은 瀉法을, 下脘, 內關, 足三里는 平補平瀉法을 응용한다.

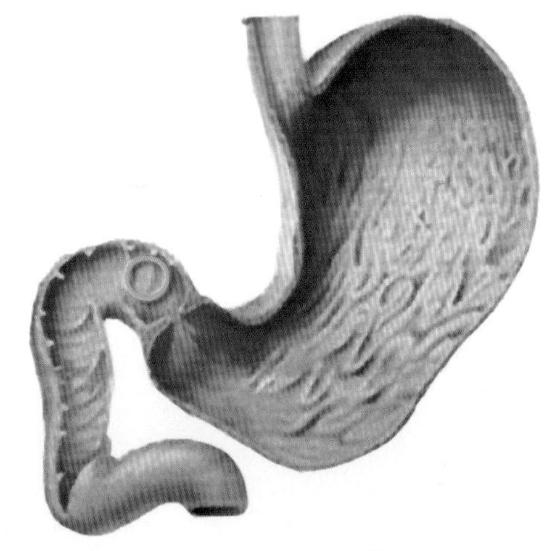

그림 142

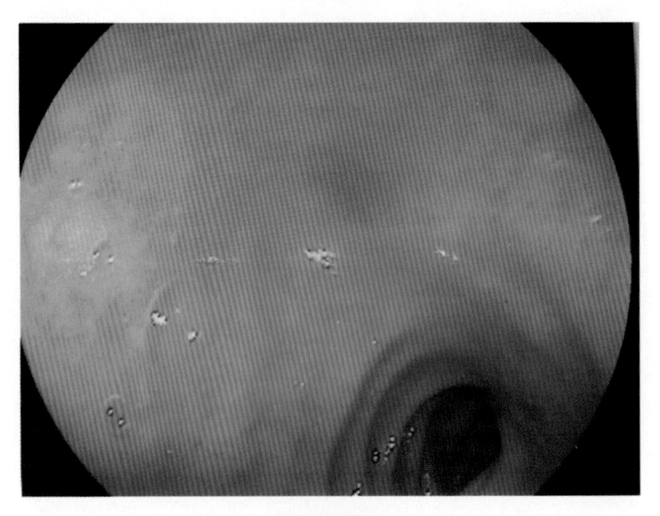

그림 143

• **推拿取穴** : 下脘, 合谷, 內關, 公孫, 足三里, 內庭, 天樞, 胃兪, 大腸兪.

• **施術方法** : ①腹部單掌揉法 : 시계방향으로 中脘, 建里, 下脘穴에 揉法을 응용하며, 매분마다 20~30번, 8분간 지속적으로 시술한다. 下脘穴에 掌揉法을 시술하는 도면(그림 144).

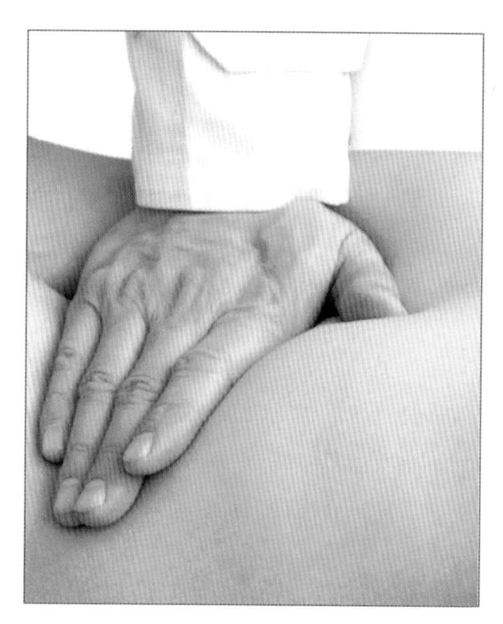

그림 144

②腹部按法 : 환자는 仰臥位이고 시술자는 환자의 오른쪽에서 서 있는다. 두 손을 겹쳐서 손바닥을 中脘과 建里穴 부위에 놓고 환자가 흡기할 때 척추를 향하여 두 손에 서서히 힘을 준다. 환자가 견딜 수 있는 정도까지 깊게 힘을 준 다음 환자가 편하고 저항력이 없을 때 잠시 멈추다가 다시 환자의 호기에 따라 손에 힘을 서서히 뺀다. 이렇게 반복적으로 6분간 진행한다.

③點按法 : 中脘, 天樞, 氣海, 足三里, 太衝穴 각혈에 2분씩 시술한다.

④一指禪推法 : 膈兪, 胃兪, 脾兪에 6분간 시술한다.

18. 十二指腸球 潰瘍

肝胃鬱熱

- **症狀** : 胃脘脹痛, 連及脇肋, 泛酸嘈雜, 心煩易怒.
- **舌像** : 舌苔薄黃燥, 舌質赤(그림 145), 脈弦數.

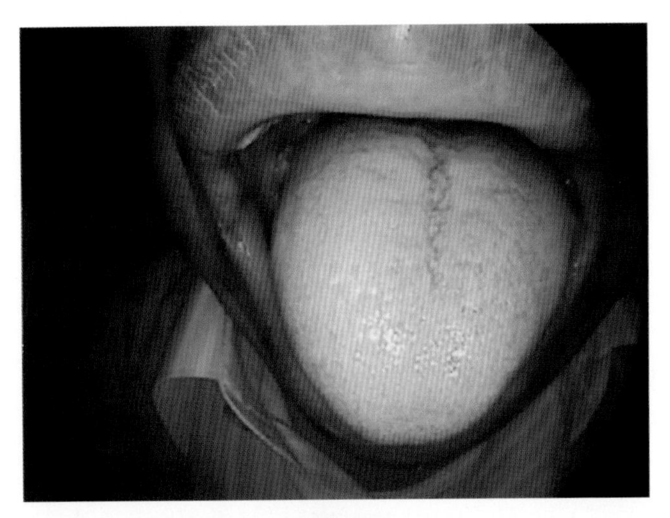

그림 145

- **胃粘膜像** : 위내시경이 십이지장에 들어가서 구부의 소만측을 촬영하였다(그림 146). 십이지장구 점막이 종창되었고 충혈이 명료하며 융모는 거칠고 크게 보인다. 소만측에는 거대한 타원형 궤양이 보이며, 안쪽에는 얇은 백태로 덮여 있고 주

변에는 충혈된 미란이 관찰된다(그림 147). 이는 십이지장구부 궤양의 A_1기이다.

- **治法** : 疏肝泄熱, 和胃止痛.
- **藥物** : 柴胡, 白芍, 枳殼, 梔子, 黃連, 烏賊骨, 浙貝母, 吳茱萸, 佛手.

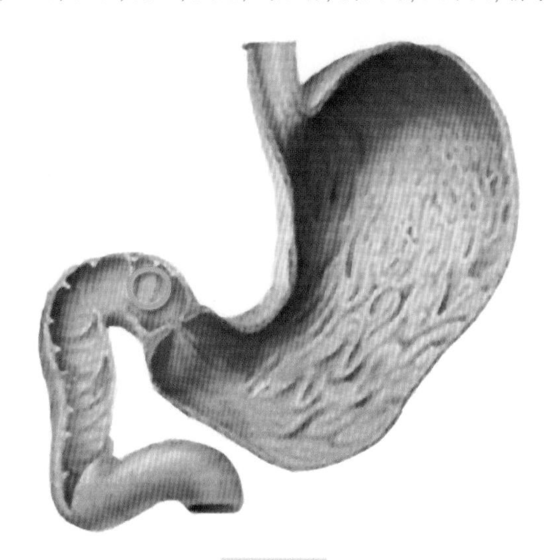

그림 146

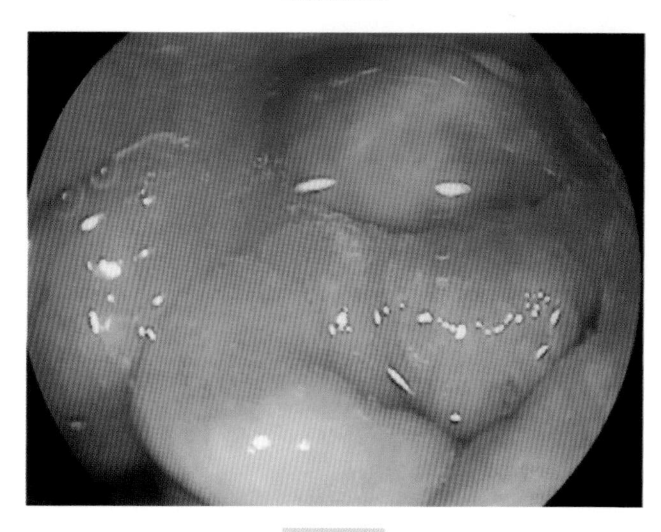

그림 147

- **針灸取穴** : 期門, 陽陵泉, 天樞, 內關, 公孫, 內庭.
- **施鍼方法** : 期門, 陽陵泉, 公孫, 內庭穴은 瀉法을, 天樞, 內關穴은 平補平瀉法을 응용한다.
- **推拿取穴** : 期門, 陽陵泉, 天樞, 內關, 公孫, 內庭, 幽門, 梁門, 上脘, 肝兪, 膽兪, 脾兪, 胃兪.
- **施術方法** : ①分摩季肋下法 : 환자는 仰臥位이고 시술자는 환자의 오른쪽에 서 있는다. 食指, 中指, 無名指, 小指의 指面을 양측 季肋하부의 不容, 承滿穴 부위에 힘을 가하지 않은 상태로 놓고, 肋沿을 따라 內部에서 外下方으로 摩動하면서 腹哀穴을 거쳐 京門穴까지 시술한다. 매분마다 20~30번, 8분 동안 시술한다.
  ②點三脘開四門法 : 환자는 仰臥位이고 시술자는 환자의 오른쪽에 서 있는다. 오른손의 食指, 中指, 無名指을 上脘, 中脘, 下脘에 대고, 왼손의 拇指, 食指, 中指, 無名指를 幽門, 章門, 期門, 梁門에 대어 힘을 서서히 주면서 點按한다. 6분 동안 시술한다.
  ③按揉法 : 肝兪, 膽兪, 脾兪, 胃兪穴 각혈에 2분씩 시술한다(그림 148).

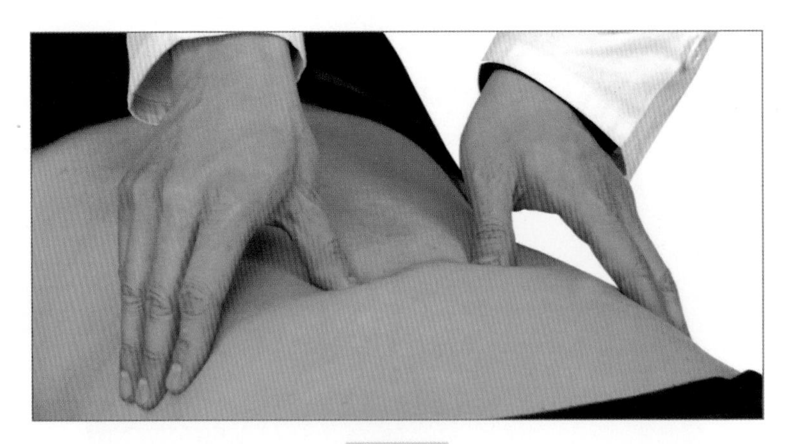

그림 148

胃火熾盛

- **症狀**：胃脘灼痛, 餐后痛減, 泛酸嘈雜, 口乾口苦.
- **舌像**：舌苔黃厚燥, 舌質赤(그림 149), 脈洪數.

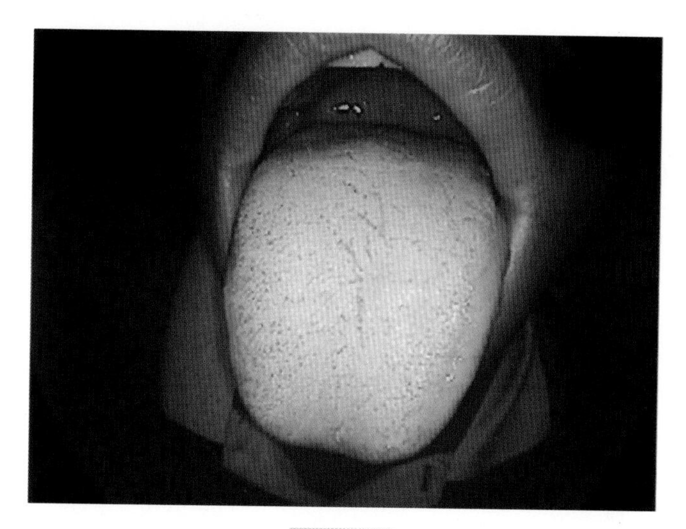

그림 149

- **胃粘膜像** ：위내시경이 십이지장에 들어가서 구부의 소만측을 촬영하였다(그림 150). 십이지장구부의 점막은 충혈이 명료하며, 소만측근의 전벽에 선상(線狀)궤양이 두 군데 있는데 안에는 얇은 백태로 덮여 있고, 변연에는 충혈과 미란이 보인다. 이는 십이지장구부 선상궤양의 A_1기이다(그림 151).
- **治法**：清熱泄火, 斂瘍止痛.

- **藥物** : 黃連, 梔子, 竹茹, 公英, 烏賊骨, 浙貝母, 瓦楞子, 白芨, 三七粉.
- **針灸取穴** : 中脘, 曲池, 內關, 公孫, 足三里, 陷谷.
- **施鍼方法** : 曲池, 公孫, 陷谷穴은 瀉法을, 中脘, 內關, 足三里穴은 平補平瀉法을 응용한다.
- **推拿取穴** : 中脘, 曲池, 內關, 公孫, 足三里, 陷谷, 天樞, 胃兪, 大腸兪.

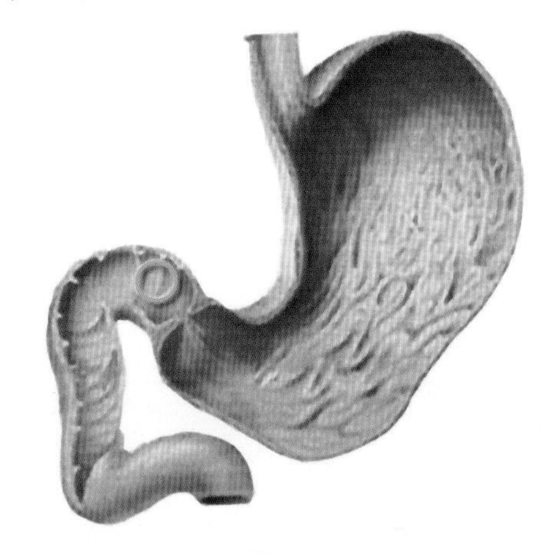

그림 150

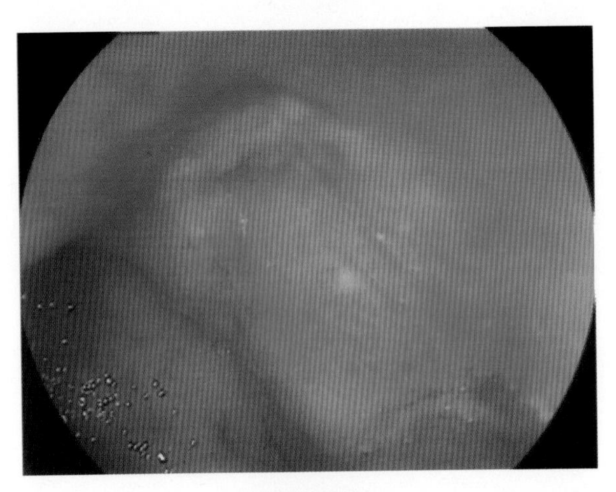

그림 151

• **施術方法** : ①腹部斜摩法 : 환자는 仰臥位이고 시술자는 환자의 오른쪽에 서 있는다. 두 손바닥을 좌우계륵의 상복부에 놓고 太乙, 神闕, 天樞, 四滿穴을 거쳐 關元穴까지 반복하여 摩動한다. 매분마다 20~30번, 6분 동안 시술한다.

②點按法 : 曲池, 內關, 公孫, 足三里, 天樞, 胃兪, 大腸兪, 각혈에 1분씩 시술한다. 胃兪穴에 點按하는 도면(그림 152)

③一指禪推法 : 脾兪, 胃兪부터 大腸兪까지 6분간 시술한다.

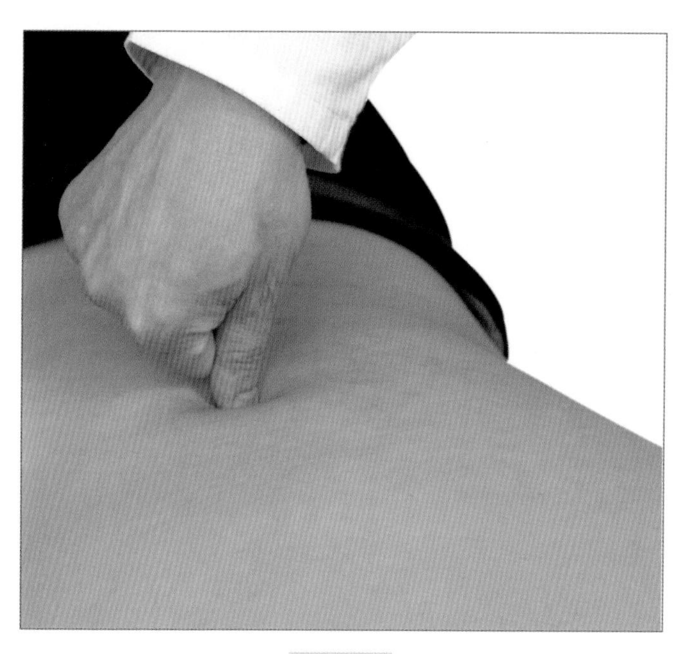

그림 152

濕熱中阻

- **症狀**：胃脘疼痛, 空腹明顯, 泛酸嘈雜, 惡心欲吐.
- **舌像**：舌苔黃膩, 舌質赤(그림 153), 脈滑數.
- **胃粘膜像**：위내시경이 십이지장에 들어가서 구부를 촬영하였다(그림 154). 십이지장구부의 대만측에는 하나의 타원형 모양의 궤양이 있고 변연이 예리하고 충혈과 부종이 보이며 표면에는 흑갈색의 태로 덮여 있다. 소만측에는 삼각형 비슷한 궤양이 보이고 주변의 조직은 隆起되어 있으며 충혈 미란이 보이고 표면에는 회색의 태로 덮여 있다(그림 155). 이것은 십이지장구부의 對吻潰瘍이다.

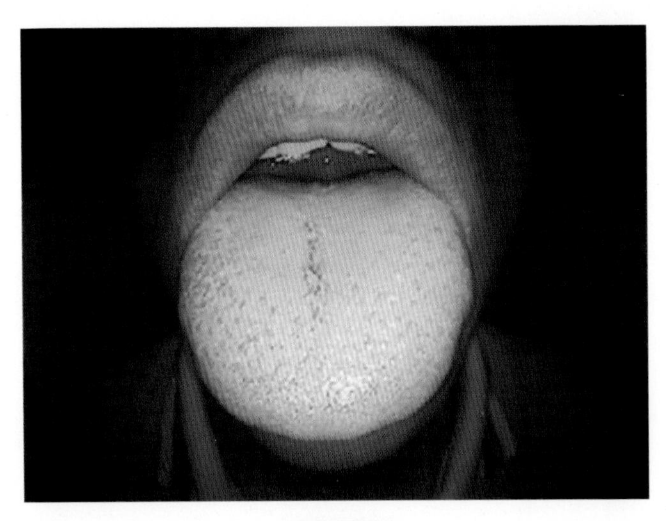

그림 153

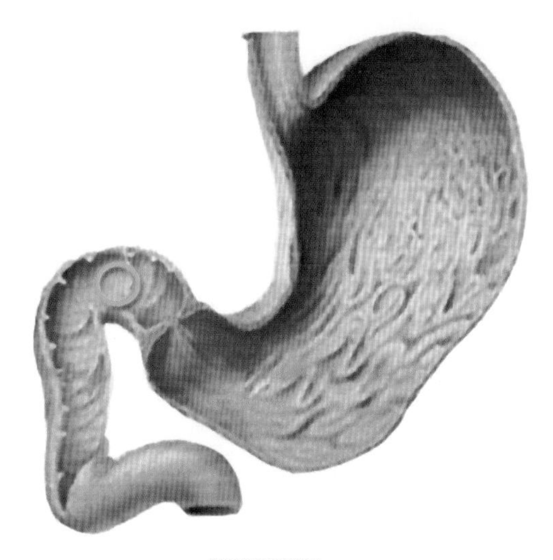
그림 154

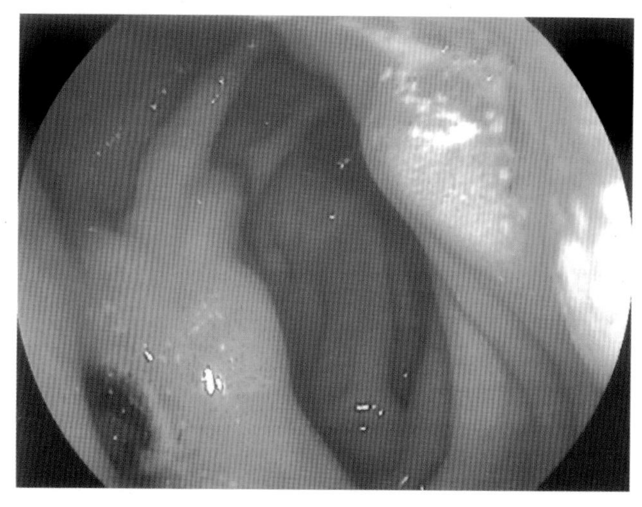
그림 155

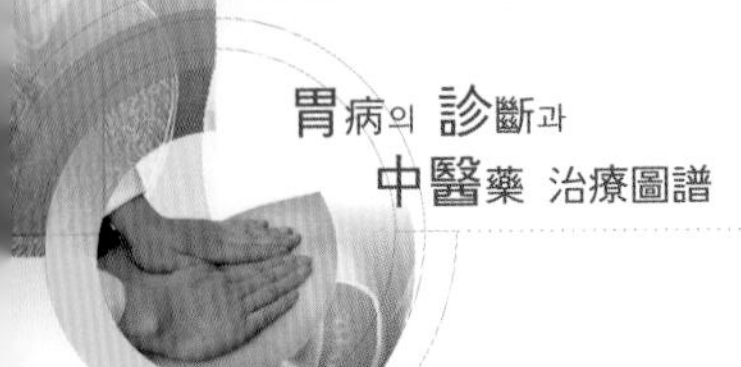

- **治法** : 清熱化濕, 和胃降逆.
- **藥物** : 黃連, 竹茹, 淸半夏, 枳殼, 梔子, 烏賊骨, 瓦楞子, 橘紅, 紫蘇梗, 吳茱萸.
- **針灸取穴** : 曲池, 陰陵泉, 陽陵泉, 足三里, 內關, 公孫.
- **施鍼方法** : 曲池, 陽陵泉, 公孫穴은 瀉法을, 陰陵泉, 足三里, 內關穴은 平補平瀉法을 응용한다.
- **推拿取穴** : 曲池, 陰陵泉, 陽陵泉, 足三里, 內關, 公孫, 肝兪, 膽兪, 脾兪, 胃兪, 三焦兪, 大腸兪.
- **施術方法** : ①腹部直摩法 : 환자는 仰臥位이고 시술자는 환자의 오른쪽에 서 있는다. 오른손 손바닥을 복부의 上脘穴과 任脈의 옆 양측 胃經에 해당되는 부위에 힘을 가하지 않은 상태로 올려놓고, 上脘에서 關元과 동시에 承滿부터 水道까지 上에서 下部로 곧장 내려가면서 摩動한다. 매분마다 20~30회, 6분동안 시술한다. 水道穴을 直摩하는 도면(그림 156).
  ②點按法 : 曲池, 陰陵泉, 陽陵泉, 足三里, 內關, 公孫穴 각혈에 2분씩 시술한다.
  ③一指禪推法 : 肝兪, 膽兪, 脾兪, 胃兪, 大腸兪까지 6분간 시술한다.

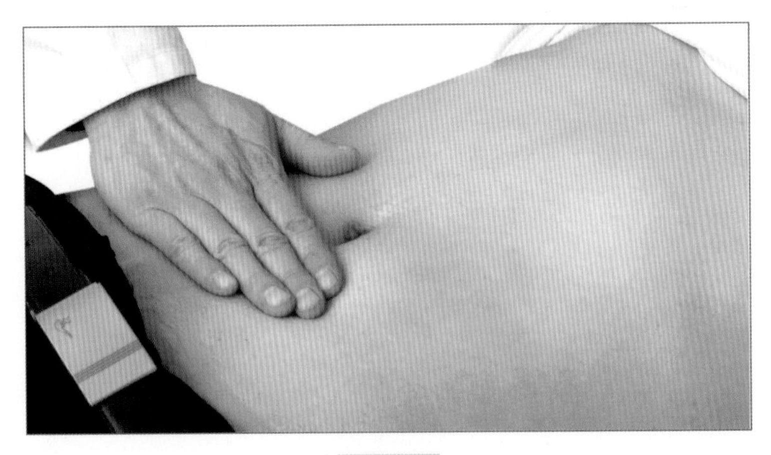

그림 156

痰濕内停

- **症狀** : 胃脘疼痛, 泛酸嘈雜, 口淡無味, 惡心嘔吐.
- **舌像** : 舌苔白厚, 舌質淡赤, 有裂紋(그림 157), 脈弦滑.

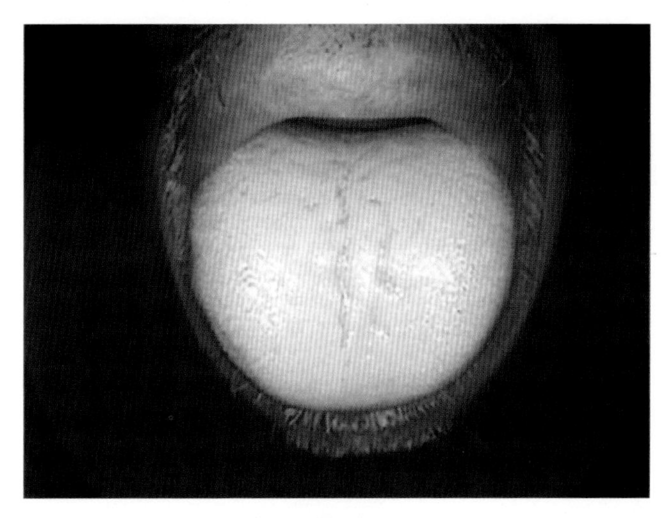

그림 157

- **胃粘膜像** : 위내시경이 위두부에 들어가서 유문과 전정부를 촬영하였다(그림 158). 유문공과 십이지장구의 변형이 명료하며, 점막은 충혈되었고 유문전정부의 점막에는 충혈과 미란이 보인다. 이것은 십이지장구부의 진구성 궤양이다(그림 159).

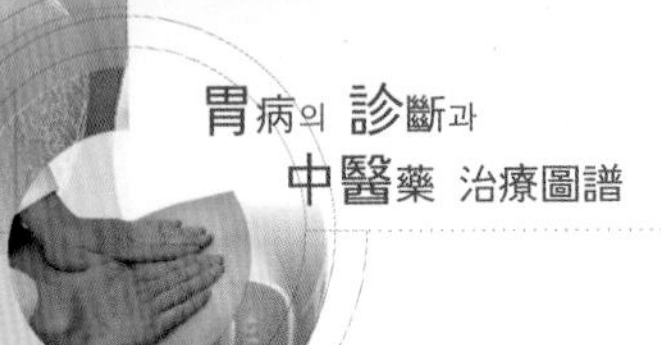

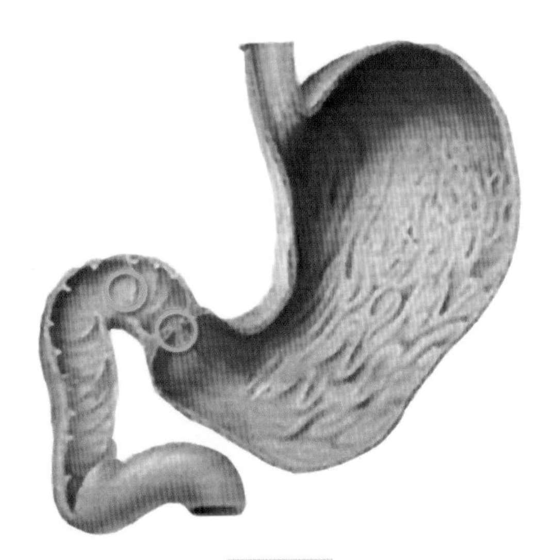

그림 158

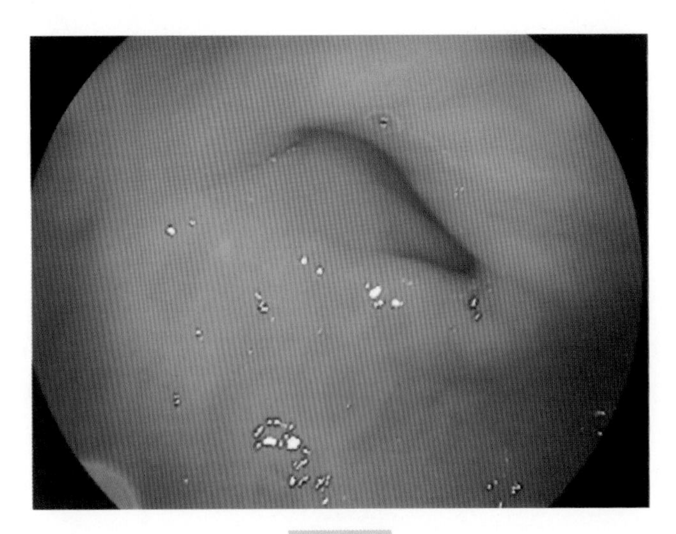

그림 159

- **治法** : 燥濕化痰, 和胃降逆.
- **藥物** : 淸半夏, 橘紅, 枳殼, 紫蘇梗, 烏賊骨, 瓦楞子, 白豆蔻, 薏苡仁, 茯苓, 生薑.
- **針灸取穴** : 上脘, 下脘, 豊隆, 陰陵泉, 足三里, 太白, 公孫.
- **施鍼方法** : 豊隆, 太白, 公孫穴은 瀉法을, 上脘, 下脘, 陰陵泉, 足三里穴은 平補平瀉法을 응용한다.
- **推拿取穴** : 針灸取穴과 同一.
- **施術方法** : ①腹部斜摩法 : 환자는 仰臥位이고 시술자는 환자의 오른쪽에 서 있는다. 두 손바닥을 좌우계륵 아래에 올려놓고 外上方에서 內下方으로 비스듬이 내려오면서 摩動하는데, 太乙, 神闕, 天樞, 四滿穴을 거쳐 關元穴까지 반복하여 시술한다. 매분마다 20~30번, 6분 동안 시술한다. 四滿穴을 斜摩하는 도면(그림 160).

  ②點按法 : 下脘, 豊隆, 陰陵泉, 足三里, 公孫穴 각혈에 2분씩 시술한다.

  ③一指禪推法 : 肝兪, 膽兪, 脾兪, 胃兪, 三焦兪에 6분간 시술한다.

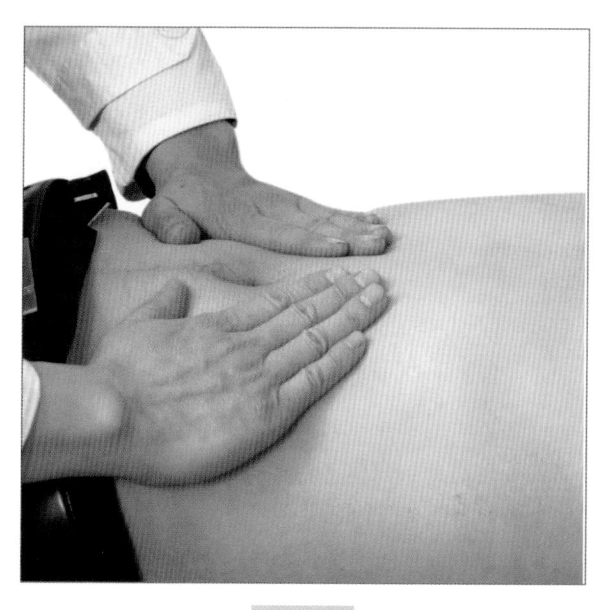

그림 160

저 | 자 | 소 | 개

姚保泰(1949-), 男, 한족(漢族), 산동성(山東省) 칭다우시(青島市) 출신으로 1974년 산동의학원(山東醫學院) 의료계(醫療系)를 졸업하였고, 당해 산동성 '서학중' (西學中)반에 입학하여 2년 수료 후 졸업하였다. 졸업 후부터 지금까지 산동중의약대학(山東中醫藥大學) 부속병원 내과에서 근무하고 있으며, 교육 연구에 많은 업적을 보이고 있다. 저자는 현재 산동중의약대학 내과 주임의사, 교수, 석사연구생 지도교수, 중화중의약학회(中華中醫藥學會) 내과 비위병(脾胃病) 위원회 위원 및 산동성천명지명기술전문가(山東省千名知名技術專家)로 활동하고 있다. 저자의 주요 연구방향은 소화계질병의 진단과 중서의협진(中西醫結合)치료이며, 특히 만성 표층성 위염(慢性淺表性胃炎), 미란성 위염(糜爛性胃炎), 반류성 위염(反流性胃炎), 잔위염(殘胃炎), 위축성 위염(萎縮性胃炎), 위궤양(胃潰瘍), 위암(胃癌), 만성 장염(慢性腸炎), 담낭염(膽囊炎), 담석증(膽石症) 및 만성 간병(慢性肝病) 등의 분야에서 연구를 하고 있다. 저자는 이미 국내외 유명한 학회지 50여 편의 학술논문을 발표했고, 주편으로 출판한 저서는 3권인데, 그중에 《中醫舌像與胃鏡像對照圖譜》는 국내외에서 높은 판매율을 기록했으며, 중화중의약학회 과학기술상 학술작품 3등상을 수상하였다. 그리고 저자는 성급(省級) 연구과제 4개를 주관하여 완성하였으며, 국가 발명특허 1종류 갖고 있고, 지금까지 20여명의 석사를 배출했으며, 미국 영국 독일 뉴질랜드 이스라엘 한국 일본 등 국가의 유학생 30여명을 지도하였다.

역 | 자 | 약 | 력

류 봉 하(柳逢夏)

1974년	경희대학교 의과대학 한의학과(現 한의과대학) 졸업
1980년	경희대학교 한의과대학원 석사학위 취득 경희의료원 한방병원 임상교수
1984년	경희대학교 한의과대학원 박사학위 취득
1985년	경희대학교 한의과대학 조교수
1996~2002년	경희의료원 한방병원 3내과 과장, 교육부장, 진료부장
2003~2004년	경희의료원 한방병원 병원장
2006년	現 경희대학교 한의과대학 비계내과 주임교수 및 경희의료원 한방병원 소화기내과 교수